Berlin

Textes d'Alexandra Sartori
Photographies de Thomas Renaut

Laissez-vous conduire à l'aéroport...

Sommaire

Grand Berlin

see

Witten

Reini

Spandau

Spree

Havel

Tie

Charlottenburg

Wilmersdo

S

Krumme Lanke

Steglit

Schachtensee

Zehlendorf

Gr. Wannsee

Lichterfeld

Wannsee

Potsdam

5 km
N
S
Pankow
Panke
Weissensee
Hohenschönhausen
Prenzlauer Berg
Marzahn
BERLIN
Lichtenberg
Mitte
Friedrichshain
Kreuzberg
Rummelsburger See
Neukölln
Tempelhof
Köpenick
Teltow Kanal
DANEMARK
MER DU NORD
MER BALTIQUE
HAMBOURG
PAYS-BAS
BREME
POLOGNE
BERLIN
HANOVRE
LEIPZIG
DRESDE
DÜSSELDORF
COLOGNE
BELGIQUE
WIESBADEN
FRANCFORI
MAYENCE
RÉPUBLIQUE TCHÈQUE
STUTTGART
INGOLSTAST
FRANCE
MUNICH
SUISSE
AUTRICHE

Berlin par quartiers

Reinickendorf

Spandau

Tier

Charlottenburg

Kr

Schöneber

Wilmersdorf

Temp

Zehlendorf

Steglitz

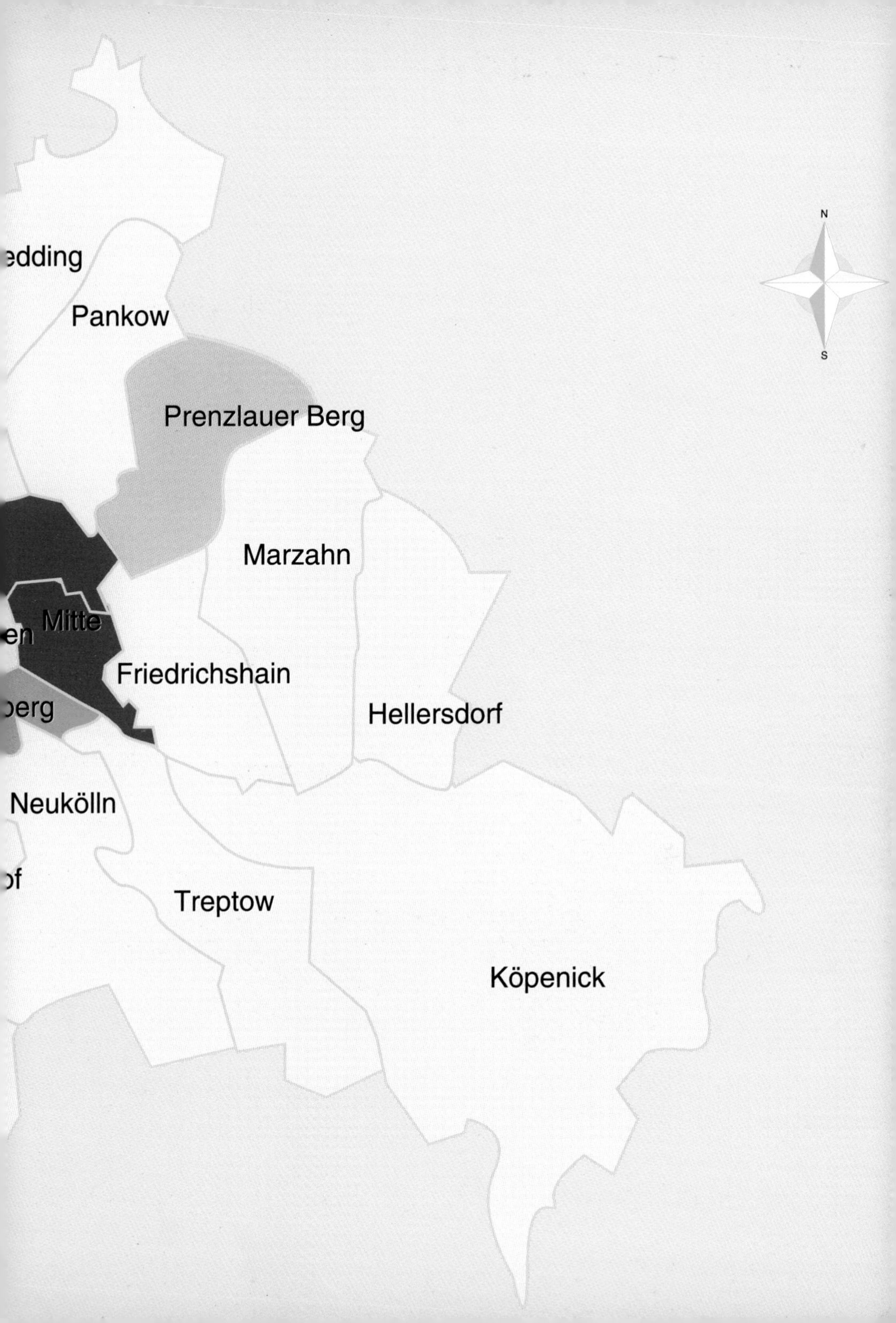
N
S
Pankow
Prenzlauer Berg
Marzahn
Mitte
Friedrichshain
Hellersdorf
Neukölln
Treptow
Köpenick

Concentré berlinois en un clin d'œil : l'Est (la tour de télévision) et l'Ouest (la porte de Brandebourg) rassemblés par le hasard d'une affiche.

De Marlene Dietrich aux punks de Kreuzberg, des espions du Pont Glienicke à Kennedy empathique, Berlin est une mosaïque de clichés, devenue mythe. Mythe politique, par sa résistance revendiquée aux régimes communistes, mythe culturel, par son esprit profondément libertaire, mythe personnifié, par son identité gémellaire, Berlin synthétise les passions du XXe siècle.
Mais si Berlin fascine, à l'instar de tous les mythes, Berlin trompe. De toutes les images liées à la ville, peu sont ancrées dans la réalité, et si elles le sont, elles sont vite obsolètes.
Berlin va vite, et ce mouvement la rend difficile à cerner.

Au premier abord, elle a peu d'atouts pour elle : détruite pendant les guerres, marquée par une division trop longue, dépourvue d'une vraie logique urbaine (un centre piéton facilement accessible, par exemple), transformée en énorme chantier (le plus grand du monde), Berlin présente une façade dépourvue d'unité et d'attrait.

Sculpture contemporaine dans le quartier de Zoo, représentant les deux Allemagne enlacées.

Deux symboles en un, la "Trabi", fameuse voiture Est-allemande, peinte sur un reste du mur de Berlin.

Son vrai charme réside ailleurs.

Carrefour de l'Histoire

On vient à Berlin à la recherche de l'Histoire. C'est la ville qui incarne probablement plus que toute autre l'Histoire de ce siècle avec un grand H.

Deux guerres mondiales y furent décidées. Des courants politiques majeurs, novateurs et contradictoires, s'y sont développés à tour de rôle : l'Empire, la République de Weimar, le fascisme, puis parallèlement le socialisme et la démocratie. Qui dit mieux ? Cherchez à Paris, Londres, New York, Rome ou Tokyo. Aucune ville, capitale ou pas, n'a drainé de passions si fortes. Et si la culture, la science, ou l'architecture du XXe siècle ont été également influencées par des Berlinois, son importance politique dépasse toutes les autres. Ainsi, aujourd'hui, même privée temporairement (jusqu'à l'an 2000) de son rôle de capitale, elle reste un endroit politiquement prépondérant.

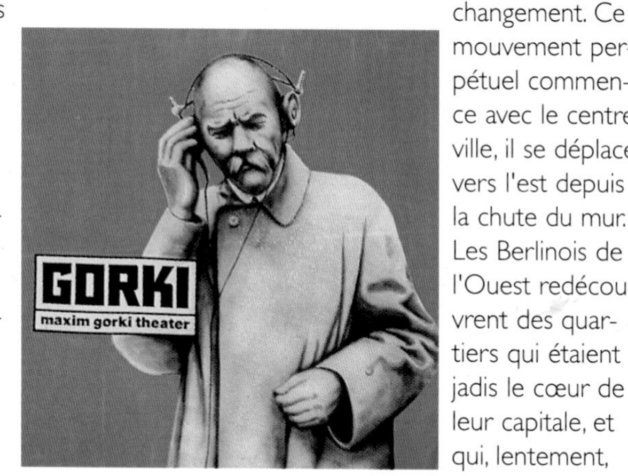

L'humour moqueur berlinois est tout entier résumé dans cette annonce pour un théâtre du centre-ville.

L'histoire de Berlin a débuté bien avant le XXe siècle, et même si la Seconde Guerre mondiale a laissé la ville en ruines, on peut encore retrouver des façades intactes ou restaurées de ce temps glorieux du grand **Kurfürst**, qui avait accueilli des milliers de huguenots et instauré une culture à la francaise. Une autre époque richement représentée est celle de l'architecte néoclassique **Schinkel**, dont on trouve des œuvres dans la plupart des quartiers. Enfin, les richesses du passé sont à découvrir à l'intérieur des célèbres musées de la ville.

Un changement permanent mais difficile à accepter

À l'inverse de ses sœurs européennes, villes antiques et souvent figées, Berlin est constamment en changement. Ce mouvement perpétuel commence avec le centre-ville, il se déplace vers l'est depuis la chute du mur. Les Berlinois de l'Ouest redécouvrent des quartiers qui étaient jadis le cœur de leur capitale, et qui, lentement, reprennent leurs droits. Les absurdités nées après trente ans de "double vie" ne sont pas encore tout à fait effacées : on trouve ainsi en double les opéras, musées, édifices publics, systèmes de transport, qui mettent du temps à s'intégrer dans un ensemble cohérent.

Et même si les signes extérieurs de différenciation entre l'Est et l'Ouest s'estompent petit à petit, il faut parfois encore plus de temps pour atténuer les disparités culturelles des habitants. Volontairement parfois, les habitants de l'ancienne RDA s'accrochent ainsi à des spécificités d'une autre époque pour revendiquer une culture propre. Ils étaient plus attachés qu'il n'y semblait à l'État et à son système social par exemple, et nombreux sont ceux qui pensent ne pas avoir trouvé leur compte dans l'Allemagne réunifiée. Ils ont trop souvent le sentiment d'avoir changé de pays plutôt que de régime.

Pour la partie Ouest de la ville, le changement n'est pas facile non plus. Qu'ils étaient fiers, les Berlinois, de ne pas être tout à fait des Allemands comme les autres, leur ville étant si spécifique, île excentrée sous un statut international. Ils ne s'identifient pas aux habitants des autres villes allemandes, provinciaux solidement ancrés dans leur région. Car Berlin n'a plus depuis longtemps de base régionale : quelle serait donc la région de Berlin ? Le Brandebourg, avec sa capitale Potsdam ? Les deux Länder de Berlin et de Brandebourg devaient récemment fusionner, essentiellement pour des raisons budgétaires (administrations en double), mais les habitants, interrogés par référendum, ont refusé.

La population de Berlin est cosmopolite et, s'il fallait définir son origine, ce serait un **métissage européen**.
Contrairement à Paris ou à Londres, on croisera relativement peu de non-Européens, du fait

L'horloge universelle de l'Alexanderplatz attire régulièrement touristes et badauds.

sans doute d'une politique coloniale allemande moins développée que celle de ses voisins. En revanche, ce métissage est ancien : il y a trois cents ans, un tiers de la population était française – des huguenots, pourchassés chez eux et accueillis par la Prusse alors dépeuplée, suite aux famines et à la peste. La partie Ouest a ensuite, comme un peu partout en Allemagne, attiré les "frères pauvres" de l'Europe méditerranéenne : Yougoslaves et surtout Turcs. En complément, et de nouveau depuis la chute du mur, sa situation géographique en fait un des principaux carrefours de l'Europe centrale.

Le goût de l'espace et de la verdure

Tout en étant un centre urbain d'importance, Berlin a gardé le goût de l'espace des villes du Nord, avec de grandes avenues et de nombreux parcs, voire des forêts, à l'intérieur même de la ville. Cela se révéla d'ailleurs une chance pendant le long isolement de la partie Ouest, ainsi à même de se ressourcer à l'intérieur de son îlot artificiel.

Ainsi, Berlin compte plus de ponts que Venise, ainsi que de nombreux lacs. Plusieurs canaux et deux rivières traversent la ville. En hiver, on peut faire de fantastiques – et sportives ! – balades en patins à glace ; en été, les lacs sont ouverts à la baignade et sur les canaux circulent vedettes et autres bateaux-mouches, qui sont un moyen reposant et fort agréable de découvrir la ville.

Car Berlin n'est pas une ville facile à parcourir pour le visiteur, justement en raison de son étendue. Ce guide propose des visites dans les principaux quartiers, mais des points d'intérêt (monuments, lieux...) subsistent, dispersés dans des quartiers de moindre importance touristique. De plus, les quartiers centraux sont une bonne représentation des multiples facettes de la ville.

Difficile de décrire une cité dans laquelle tout change à une telle vitesse. À l'aube du IIIe millénaire, il ne lui reste plus beaucoup de temps pour se faire belle, avant d'accueillir le gouvernement qui a si longtemps hésité à quitter les berges du Rhin. On peut même penser que certaines rues auront changé lorsque vous suivrez les promenades indiquées.
Mais la surprise fait partie de l'aventure !

Le parc du château de Charlottenbourg en plein hiver (haut). Raffinement au café Einstein *(bas). L'ours, symbole omniprésent de la ville (ci-dessus).*

Charme vénéneux de la nuit berlinoise ?
Tout simplement une vitrine très réaliste de l'Opéra.

L'*expression artistique débridée* à la berlinoise, *ici l'escalier du Tacheles, "squat" célèbre devenu un centre de création alternative.*

La fondation de la ville est communément datée de ***1237****, année où Berlin, qui n'était alors qu'une petite ville le long de la rivière Havel, est citée pour la première fois.*

• **XIVe siècle** *: Édification des églises*

*• **1810** : Création de la première université de Berlin par Wilhelm von Humboldt (la Humboldt-Universität, aujourd'hui une des trois grandes universités de la ville, avec la Freie Universität et la Technische*

Repères Historiques

Nikolai et Marienkirche, les plus anciens monuments encore intacts.

*• **1470** : Berlin devient le centre administratif du prince de Brandebourg.*

*• **1618-1648** : Guerre de Trente Ans qui endommage fortement la ville.*

*• **1685** : Révocation de l'édit de Nantes et accueil des huguenots.*

*• **1701** : Berlin devient capitale du royaume prussien.*

*• **1709** : Le grand Kurfürst (Frédéric le Grand) agrandit la ville en incorporant les cités voisines de Friedrichswerder, Dorotheenstadt et Friedrichstadt. L'époque de Frédéric le Grand est l'âge d'or de la ville. De nombreux monuments datent de cette époque, notamment le boulevard Unter den Linden, les deux dômes ("allemand et francais") de la place du Gendarmenmarkt et la porte de Brandebourg.*

*• **1806-1808** : Occupation de la ville par les troupes de Napoléon.*

Universität).

*• **1813** : Napoléon est vaincu à la bataille de Leipzig.*

*• **1815** : Au congrès de Vienne, la confédération germanique est créée, regroupant 39 États allemands, dont la Prusse.*

*• **1861-1862** : Guillaume Ier monte sur le trône de Prusse. Otto von Bismarck est nommé ministre-président.*

*• **1871** : Guillaume Ier se proclame empereur de l'Allemagne. Bismarck devient chancelier du Reich allemand, et fait de Berlin la capitale. La ville compte alors environ 800 000 habitants.*

*• **1882** : Ouverture du premier métro. Éclairage électrique des rues. Création de l'orchestre philharmonique.*

*• **1888-1890** : Guillaume II succède à Guillaume Ier; départ de Bismarck.*

*• **1918** : Défaite de l'Allemagne lors de la Première Guerre mondiale.*

*• **1919** : Proclamation de la*

République de Weimar (Berlin capitale).
***1920 :** Création du Grand Berlin (3,8 millions d'habitants) en regroupant huit villes et de nombreuses communes rurales des environs.*

- ***1933 :** Hitler est nommé chancelier ; incendie du Reichstag.*
- ***1934 :** Mort du président Hindenburg. Proclamation du IIIe Reich.*
- ***1936 :** Jeux olympiques, à Berlin.*
- ***1939 :** Seconde Guerre mondiale.*
- ***1942 :** Conférence de Wannsee sur la "solution finale" pour les juifs.*
- ***1945 :** Défaite du IIIe Reich lors de la Seconde Guerre mondiale. La ville est occupée par l'armée rouge puis par les autres alliés ; elle est partagée en quatre secteurs : russe, américain, français et anglais.*
La ville est complètement en ruines. La famine et des hivers très rudes continuent à faire beaucoup de morts parmi la population affaiblie. Des émigrés des anciens territoires allemands, à l'est de la fameuse ligne Oder/Neisse, arrivent en masse.
- ***1948-1949 :** Les Soviétiques sortent du conseil allié et instaurent le blocus de Berlin ; les autres alliés aident à approvisionner la ville isolée par le pont aérien (Luftbrücke).*
Fondation de l'Université Libre (Freie Universität) à Berlin-Dahlem.
- ***1949 :** Création de la RFA, née de la fusion des zones d'occupation américaine, anglaise et française. Adenauer devient chancelier.*
- ***1950 :** Bonn est capitale provisoire de la RFA, alors que Berlin (Est) est proclamée capitale de la RDA.*
- ***17 juin 1953 :** Soulèvement à Berlin-Est. Intervention de l'armée soviétique. Le 17 juin devient fête nationale de la RFA.*
- ***1961 :** Construction du mur de Berlin.*
- ***1963 :** Erhard succède à Adenauer. Kennedy proclame à Berlin : "Ich bin ein Berliner".*
- ***1968 :** Révoltes étudiantes à Berlin (Ouest). Attentat contre leur leader Rudi Dutschke.*
- ***1969-1971 :** Willy Brandt, ancien maire de Berlin, devient chancelier. Mise en place de la Ostpolitik, première rencontre RFA-RDA, accord des quatre alliés sur le statut de Berlin.*
- ***1976-1989 :** Erich Honecker est au pouvoir en RDA.*
- ***1979 :** Premiers "squatters" à Berlin-Ouest.*
- ***1982 :** Arrivée de Helmut Kohl au pouvoir en RFA.*
- ***1987 :** 750e anniversaire de Berlin, fêté dans les deux parties de la ville.*
- ***Octobre 1989 :** Gorbatchev à Berlin-Est. Manifestations dans tout le pays ; Honecker part et est remplacé par Egon Krenz.*
- ***9 novembre 1989 :** Chute du mur de Berlin.*
- ***3 octobre 1990 :** Réunification des deux Allemagne. Le 3 octobre devient la nouvelle fête nationale.*
- ***1991:** Berlin devient capitale par référendum. Le transfert du gouvernement est repoussé à 1998 ou 1999, puis au 1er janvier 2000. Seul le président transfère officiellement son lieu de résidence dès 1994.*

Mitte

Comme son nom l'indique, Mitte (centre) est le cœur historique de la ville, et la richesse architecturale des monuments surprendra le visiteur peu préparé. Car c'est un Berlin très classique dont il s'agit ici, surnommé ironiquement par les Allemands "*Athènes sur Spree*". Les coupoles succèdent aux frontons néoclassiques et autres statues guerrières, dans un ensemble harmonieux et magnifiquement restauré. C'était, avant le mur, le quartier le plus occidental de la partie Est, difficile d'accès et de visite à l'époque.

La **Pariser Platz (1)**, près de la **porte de Brandebourg (2)**, peut être le point de départ de la visite. C'est en tout cas un lieu historique, puisqu'il a été le symbole, pendant des années, de la partition de la ville. Il faut rendre visite à l'hôtel **Adlon (3)**, qui, avec son intérieur somptueusement restauré, a retrouvé son prestige d'antan. À côté se trouve la nouvelle **école des Beaux Arts (4)**.

Cette place est le départ de la célèbre avenue **Unter den Linden (5)** (*sous les tilleuls*). Cet axe majestueux résume à lui seul l'his-

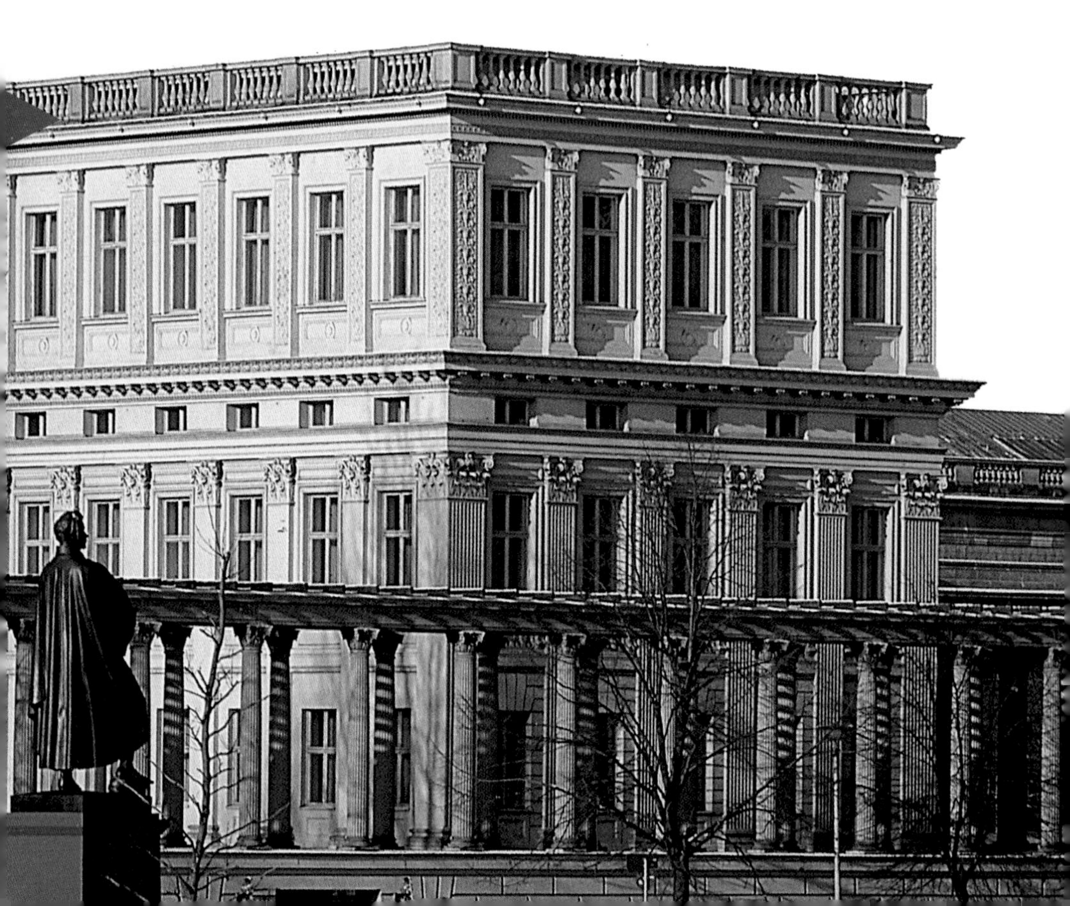

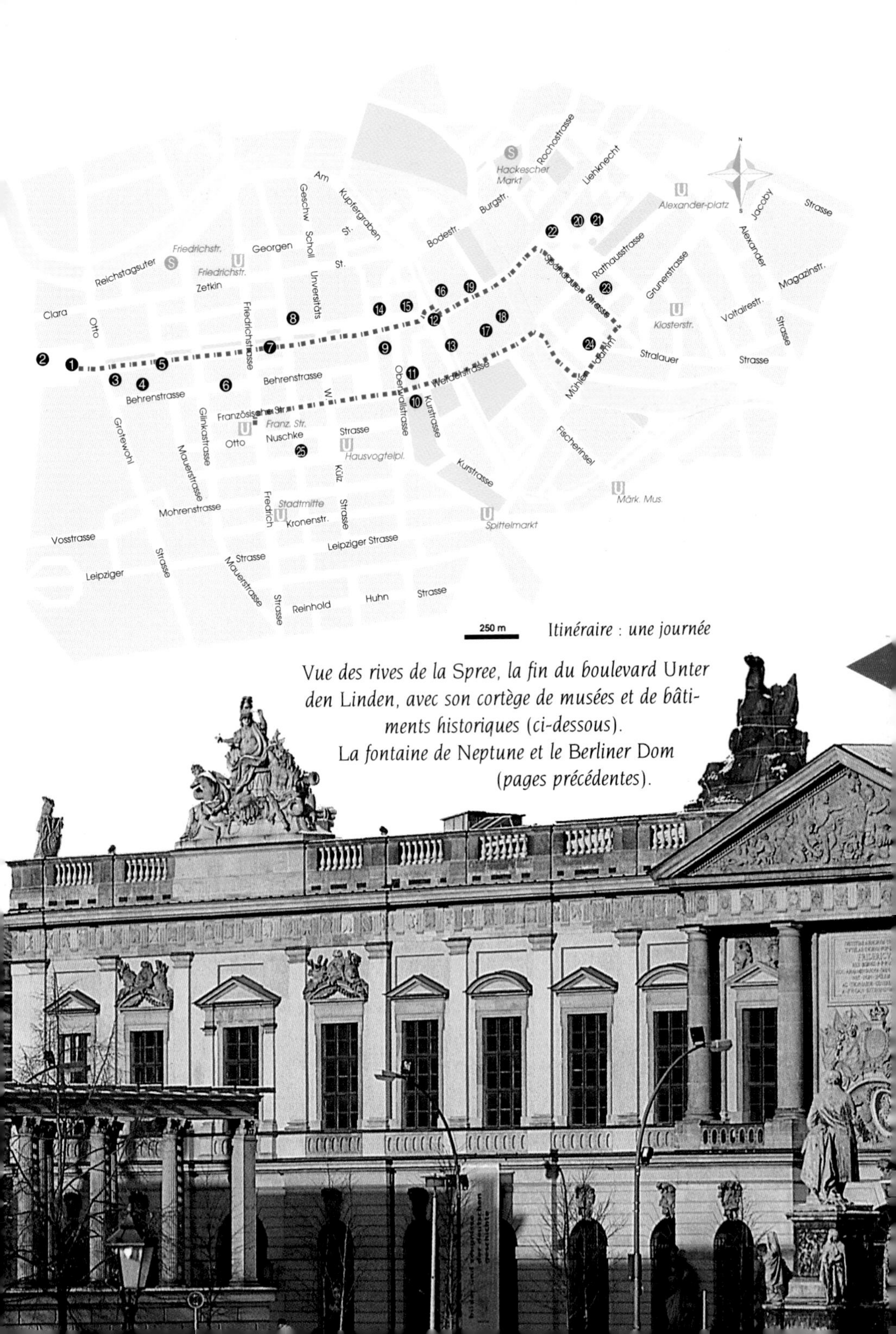

Itinéraire : une journée

Vue des rives de la Spree, la fin du boulevard Unter den Linden, avec son cortège de musées et de bâtiments historiques (ci-dessous).
La fontaine de Neptune et le Berliner Dom (pages précédentes).

toire de l'Allemagne. Au XVIe siècle, il servait de chemin cavalier pour les princes désireux de se rendre à la chasse, et dès le XVIIe siècle (plantation de tilleuls), il devint un boulevard mondain. Malheureusement, des immeubles du temps du IIIe Reich, mais aussi plus récents, de l'époque de la RDA, lui ont fait perdre une partie de son charme. L'avenue est actuellement semée d'ambassades, ou plutôt de leurs représentations, puisque les pays attendent le déménagement effectif du gouvernement pour transférer toutes leurs équipes. Difficile par exemple de rater la **Représentation russe**, anciennement ambassade de

Variété du quartier de Mitte : le Dôme se reflètant dans les vitrages modernes du palais de la République (gauche), détail de la porte de l'église Friedrich-Werder (droite), statues de Marx et Engels (ci-dessus).
Ronde de policiers le long de Unter den Linden (ci-contre).

l'URSS et véritable forteresse "diplomatique" de sinistre mémoire.

L'autre axe historique du centre-ville, la **Friedrichstrasse (6)**, croise Unter den Linden en son milieu. Elle est en train de redevenir ce qu'elle était avant la guerre : une des principales rues commerçantes de Berlin – dans laquelle les boutiques de luxe s'arrachent les meilleurs emplacements. On y trouve notamment les Galeries Lafayette, dont le bâtiment, signé Jean Nouvel, rajeunit considérablement le style classique de la rue.

Après ce croisement avec la Friedrichstrasse, l'avenue Unter den Linden offre une succession impressionnante de monuments. On y trouve, tout d'abord, la **Deutsche Staatsbibliothek (7)**, qui se partage un énorme fonds de livres (le plus grand d'Europe), avec la bibliothèque du Kulturforum, dans la partie Ouest. Juste après, on trouve la célèbre **Humboldt Universität (8)**, la première université de la ville, fondée par Wilhelm von Humboldt en 1810 (la construction date cependant du XVIIIe siècle). Y enseignèrent, entre autres, Einstein et Planck.

Sur la droite, on peut découvrir la **Bebelplatz (9)** avec une statue de Frédéric le Grand, et, en traversant cette place, la plus grande église de Berlin (et la plus importante pour l'évêché catholique), la **Hedwigskathedrale (10)**, construite au XVIIIe siècle d'après le modèle du Panthéon de Rome. Elle aussi fut détruite par un incendie en 1943, et sa reconstruction s'est limitée à l'extérieur. Sur la même place se trouve également le **Staatsoper (11)**, édifié par von Knobelsdorff en 1741, ainsi que deux palais, **Prinzessinnenpalais (12)** et **Kronprinzenpalais (13)**, datant du XIXe siècle.

Enfin, on arrive à la fin de la fameuse avenue, avec la **Neue Wache (14)** sur la gauche, bâtiment du début du XIXe siècle (signé par l'architecte Schinkel),

Le célèbre quadrige de la porte de Brandebourg avec, en premier plan, un réverbère finement ciselé.

Le double clocher affûté de l'église Nikolai *répond au* Rathaus *(hôtel de ville) et à la* Fernsehturm *(tour de télévision).*

Le plus grand chantier du monde

Il n'est pas exagéré de dire que tout le centre-ville ressemble à un chantier. Certes, il y a la venue prochaine du gouvernement et il faut restaurer les immeubles de la partie Est de la ville, pas ou peu entretenue pendant 40 ans. Mais, surtout, la destruction du mur a créé, cas unique au monde, d'énormes zones désertes en plein centre-ville, qui ne peuvent subsister. Les projets sont à la mesure de l'espace à combler : le montant de l'investissement immobilier à Berlin est de l'ordre de 30 milliards de marks par an .

Les principaux projets sont les suivants :

• **Réhabilitation du Reichstag :** Ce symbole de l'histoire allemande, incendié par les nazis, devrait prochainement retrouver sa fonction de siège du Parlement allemand, mais avec quels changements ! Une énorme coupole en verre a été ajoutée (l'architecte étant Norman Foster), tout l'intérieur a été refait, les alentours ont été réaménagés. Il est vrai que ce monument était resté en l'état depuis son incendie, en 1933.

• **Potsdamer Platz :** Cet ancien centre nerveux de la ville n'est, pour l'instant, qu'un ensemble de grues, une cinquantaine sur plus de 115 000 m^2. On y trouvera une trentaine d'immeubles d'habitation et de bureaux, des théâtres et des salles de cinéma, mais aussi des bâtiments pour Sony et Daimler Benz. Une gare souterraine complètera l'ensemble. Les principaux architectes de ce quartier sont Renzo Piano, Hans Kollhofm, Richard Rogers et Helmut Jahn.

• **Spreebogen :** C'est le site du futur siège du gouvernement (Bundeskanzleramt), également en construction pour l'an 2000, dessiné *par l'architecte berlinois Axel Schultes.*

• **Wilhelmstrasse :** *La plupart des ministères s'installeront autour de cette rue, qui était déjà le quartier des administrations centrales avant la dernière guerre.*

• **Friedrichstrasse :** *Cette rue, également historique, est transformée en une grande artère commerciale, avec notamment le Friedrichstrassenpalast dans lequel se trouvent les Galeries Lafayette, souvent plus visitées pour voir leur architecture étonnante (de Jean Nouvel) que pour y effectuer des achats.*

Par ailleurs, le gouvernement a lancé 39 "zones de réhabilitation", dont 15 dans l'ancienne partie Est. Et c'est sans compter les réhabilitations quasi systématiques nécessaires dans la partie Est, où bon nombre de bâtiments sont encore chauffés au charbon et ont des toilettes à l'étage...

Il est impossible de prévoir l'impact qu'auront ces énormes changements au cœur même de la ville sur la vie quotidienne des Berlinois. Par exemple, un axe comme le Kurfürstendamm risque, à terme, de souffrir de la concurrence de la Potsdamer Platz. Les Berlinois sont, certes, habitués au changement, mais, pour eux, cette fin de siècle est particulièrement agitée.

Grues et pipelines cernent la porte de Brandebourg et le Reichstag.

reconverti en monument aux morts de la Première Guerre mondiale puis aux victimes du fascisme et du militarisme, une flamme éternelle brûlant dans son hall intérieur. À côté se trouve le **Deutsches Historisches Museum (15)**, bâtiment datant de 1705. De plan carré, l'édifice est long de 90 m, avec une très belle cour intérieure (*Schlueterhof*), dont les sculptures de guerriers comptent parmi les œuvres majeures de la sculpture allemande. Une halte s'impose sur le pont **Marx-Engels-Brücke (16)**, le temps d'apprécier les perspectives parfaitement composées et le mélange des genres architecturaux. C'est aussi l'occasion de contempler la Spree, et, pourquoi pas, de suivre ses berges piétonnes.
Au nord se trouve l'île aux Musées, qui mérite une visite à part (voir le chapitre sur les quartiers des musées page 54).
Plus loin, on rentre dans le "centre historique de la RDA", vitrine de la réussite et du modernisme de l'ancien régime de l'Est, avec tout d'abord l'ancien **Palast der Republik (17)**, jadis siège du gouvernement de la RDA, aujourd'hui désaffecté. La place sur laquelle il se trouve s'appelle de nouveau **Schlossplatz (18)**, mais le château de Berlin a bel et bien disparu. Fortement endommagé pendant la guerre, sa ruine a été détruite en 1950 par les autorités de la RDA. En face se trouve la splendide cathédrale de Berlin, **Berliner Dom (19)**, construite au tournant du

Vue du Schauspielhaus (théâtre), un des deux dômes – ici, le Französischer Dom – de la splendide place Gendarmenmarkt.

siècle et principal lieu de culte des protestants berlinois. Elle se visite, ainsi que son dôme, qui dispose d'une promenade extérieure au point de vue imprenable.

Toujours tout droit, on arrive à l'**Alexanderplatz (20)**, dominée par la forme légèrement inquiétante de la **Fernsehturm (21)**, qui dispose d'un restaurant panoramique (et tournant !). Cette tour de télévision est aussi haute que la tour Eiffel et, où que l'on soit dans la cité, sa silhouette caractéristique apparaît dans la perspective. L'"Alex", comme l'appellent les Berlinois, est plutôt dépourvue de charme, mais grouille toujours de monde. L'été, les marchands de

Le pont Jungfernbrücke, de style industriel, est l'un des mieux conservés de la ville.

Somptueuse croix du Berliner Dom (ci-contre).

souvenirs disputent la place aux artistes de rue, tandis que les badauds s'agglutinent sous l'horloge universelle. L'hiver, les chalets du marché de Noël sont très visités, notamment ceux qui servent du vin chaud ! Et la piste artificielle de patin à glace attire les adolescents dès l'après-midi.
De l'autre côté de la gare (Alexanderplatz) se trouve la grande fontaine du **Neptunbrunnen** (1888), et l'église de brique de **Sainte-Marie (22)**, construite en 1270, charmante église un peu isolée au milieu d'une place trop ouverte. Il ne faut pas hésiter à y entrer pour se retrouver soudainement plongé au cœur du Moyen Âge. Au sud de la place se trouve le **Rotes Rathaus (23)**, qui doit son nom à la couleur de ses briques plus qu'à celle, politique, de ses occupants, redevenue la mairie de Berlin réunifié, datant de 1861. Il ne faut pas manquer une petite photo souvenir sur les genoux de Marx et d'Engels statufiés, cela va de soi !

En continuant vers le sud, on peut apercevoir les deux clochers effilés de l'église de **Nikolai (24)**, la plus ancienne de la ville puisqu'elle date de 1232. Détruite pendant la guerre, elle a été reconstruite à l'identique dans les années 80 par le gouvernement de la RDA, dans un effort pour valoriser son histoire et son patrimoine. Tout le quartier environnant, le **Nikolaiviertel**, a profité de cette volonté politique et c'est un détour qu'il faut s'accorder pour flâner le long des ruelles pavées et des porches aux

enseignes forgées à l'ancienne. Néanmoins, cet ensemble est un peu artificiel, certains bâtiments ayant même été déplacés depuis d'autres quartiers de la ville, comme l'auberge **Zum Nussbaum**, la plus vieille de Berlin (1507).

Rejoignez alors, un peu plus au nord, la **Rathausstrasse,** qui s'appelle ensuite Werderstrasse, pour revenir vers l'ouest. Juste après la **Hedwigskathedrale**, vous tomberez sur une des plus belles places de la ville pour terminer cette promenade. Vous admirerez le superbe ensemble du **Gendarmenmarkt (25)**, qui doit son nom à une caserne de gendarmes qui y fut installée au XVIIIe siècle, avec ses deux dômes jumeaux, le **Deutscher Dom** et le **Französischer Dom**, bâtis au début du XVIIIe siècle, et, entre les deux, le **Konzerthaus**, œuvre de Schinkel (1821). Le dôme francais, bâti pour la communauté huguenote, dispose d'un très joli carillon de 60 cloches qui sonne encore régulièrement.
En haut, on trouve un agréable café-restaurant, agrémenté d'un balcon panoramique.
Sur le côté de la place se trouve l'**Académie des Sciences**, fondée en 1700, qui occupe un bâtiment de la banque de Prusse, construit, lui, en 1901. Parmi les membres illustres de cette honorable académie figurent, entre autres, les frères Humboldt, Einstein et von Planck.

Le quartier dans son ensemble est magnifique mais très étendu et, pour l'apprécier, il est bon de prendre son temps. Quelques pauses seront nécessaires, notamment dans les salons de thé autour de la Französicher Strasse.

Ambiance estivale sur l'Alexanderplatz.

L'intérieur de la principale église protestante de la ville, le Berliner Dom.

Zoo

Avant la chute du mur, le centre incontesté de Berlin (Ouest) était le quartier de **Zoologischer Garten**, qui, à sa création, était plutôt un quartier périphérique. Mais le centre historique ayant été coupé de cette partie de la ville par le mur, tout s'était déplacé vers l'Ouest. Pour les nostalgiques de cette période d'enclavement, le nom de Zoo représente surtout la gare terminus de Berlin : plus loin vers l'Est débutait un autre monde !

C'est aujourd'hui bien différent. Berlin est actuellement dans une phase de transition entre ces deux centres, sans que l'un ou l'autre ne se soit véritablement imposé. **Zoo** est le quartier de l'activité commerciale, des boutiques de luxe, des grands cinémas, des cafés cossus et des restaurants, Mitte étant le quartier des musées et de l'architecture classique. Ainsi, il faut voir se lever le lourd et somptueux rideau du célèbre cinéma **Zoo Palast**, centre du festival cinématographique de Berlin, la *Berlinade*. Ou bien aller tranquillement siroter en terrasse une fameuse *Berliner Weisse*, une bière blonde, sur le **Ku'Damm**, boulevard central de l'ancien Berlin Ouest. À moins d'être tenté par la surprenante horloge aquatique, dite "du temps qui coule", de l'**Europa Center**.

Mais commençons par ce qui a donné le nom au quartier, et qui vaut certainement le détour : **le Zoo** ! Sa situation, en plein centre ville, en fait une curiosité pour une métropole de la taille de Berlin.

*"L'horloge du temps qui coule" à l'*Europa Center *(gauche). Le grand magasin le plus célèbre de la ville, le* Ka De We *(droite).*

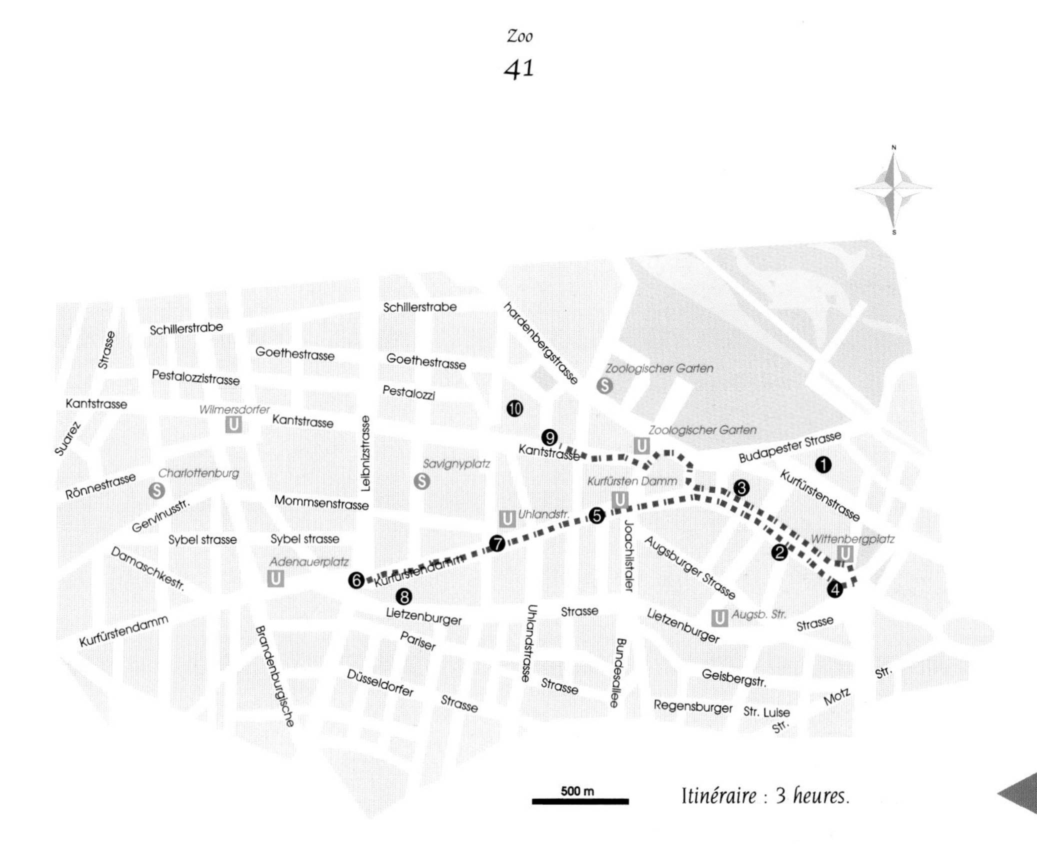

Itinéraire : 3 heures.

Apéritif coloré sur le Ku'Damm (gauche). La fontaine du globe terrestre est un lieu d'amusement et de rafraîchissement (droite et pages précédentes).

Le mur de Berlin n'était pas qu'un symbole de la guerre froide, c'était une réalité toute particulière pour cette ville, difficile à imaginer pour ceux qui ne l'ont pas vécue..

Entre le 13 août 1961 et le 9 novembre 1989, pendant plus de mur... La RDA, proclamée État indépendant dès 1950, couvrant la zone d'occupation russe de l'Allemagne, avec Berlin (Est) comme capitale, avait connu un fort mouvement de départ de ses citoyens, qui préféraient s'installer en RFA. Ainsi, entre janvier et août 1961, alors que les frontières

Histoire(s) du mur

27 ans, il était impossible pour les habitants de la partie Est (l'ancienne zone d'occupation russe) de passer dans la partie Ouest, à moins d'avoir dépassé 65 ans. En effet, la RDA ne craignait pas de perdre ses retraités, qui n'étaient plus productifs et représentaient seulement un facteur de coût pour l'État.

Quant au passage de l'Ouest vers l'Est, il était très réglementé, limité au minimum et assorti d'un maximum de complications (fouilles fréquentes, files d'attente interminables, frais de visa, change obligatoire d'une somme minimale en Östmarks, devise de l'ex-Allemagne de l'Est, etc.) pour décourager tout contact spontané, voire régulier entre les deux parties de la ville.

Mais revenons d'abord aux origines du

étaient déjà contrôlées, plus de 155 000 personnes s'étaient réfugiées vers l'Ouest, mouvement dont la presse se faisait un plaisir de présenter le bilan dans ses premières pages...

Le **13 août 1961**, *dans une action nocturne, le gouvernement de la RDA installait un rideau de fer entre les deux Berlin. Une photo célèbre de cette période montre un des soldats chargés de l'installation, sautant par-dessus sa propre barrière pour rejoindre l'Ouest. Les gens affluaient des deux côtés, pleuraient, incrédules, se donnaient des rendez-vous pour se faire des signes à travers la frontière. Deux jours après, déjà, ce premier rideau était remplacé par un mur de béton pour éviter toute tentative d'approche du mur par les habitants de Berlin (Est). Peu après, un bouclage* *comparable sera installé tout le long de la frontière entre les deux Allemagne.*

La vue étant barrée, on installa alors du côté Ouest des sortes d'escaliers en libre accès pour pouvoir regarder par-dessus le mur. Du côté Est, on avait construit ces fameuses tours de contrôle avec un gardiennage permanent, surveillant, notamment aux jumelles, toute présence sur les escaliers d'en face, et contrôlant bien sûr la zone de démarcation, terrain vague non accessible, miné par la suite. D'autres gardes longeaient cette zone avec force chiens et fusils. L'ordre était formel : tirer sur toute personne s'approchant du mur et qui ne réagirait pas à des sommations orales préalables.

La frontière était donc devenue imperméable ou presque. L'énergie du désespoir faisait naître des projets invraisemblables pour parvenir à passer quand même la frontière, et tous n'échouèrent pas. Ainsi, plusieurs tunnels ont été creusés, il y eut des fuites en ballon et à la nage à travers la Spree, des voitures forçaient les barrages aux rares points de passage, mais surtout les fameux passeurs s'arrangeaient avec des automobilistes de l'Ouest pour faire sortir une personne cachée dans le coffre d'une voiture, qui repassait à l'Ouest... le plus souvent.

Pourtant, les fouilles des automobilistes de l'Ouest pouvaient durer des heures, les Berlinois qui voulaient partir en vacances en voiture (en traversant forcément la RDA) devaient compter non seulement avec les bouchons habituels des autoroutes, mais aussi avec les files d'attente aux points de transit, lesquelles pouvaient facilement atteindre une demi-journée, voire plus. Les autoroutes de la RDA accueillant les automobilistes en transit étaient payées par la RFA. Il était strictement interdit d'en sortir pour les Allemands de l'Ouest, et les Allemands de l'Est devaient en sortir bien avant la frontière. La vitesse maximale était fixée à 100 km/h, les contrôles très fréquents... Cela représentait un ensemble quotidien de tracasseries qui, cumulées, finissaient par peser lourd.

Le désespoir était particulièrement grand du côté Est, emmuré, mais les habitants de la partie Ouest avaient eux aussi toutes les raisons d'être inquiets. Après la première expérience du blocus de Berlin en 1948 et 1949, ils se désespéraient de voir leur îlot encore isolé, et beaucoup étaient persuadés que l'Ouest allait devoir les laisser tomber, au bout du compte, de sorte qu'eux aussi seraient rattachés à la RDA. Il y eut un exode non seulement des civils, mais aussi de l'industrie, qui transférait ses quartiers géné-

raux ou fermait ses usines dans la ville. Il est vrai que l'approvisonnement était devenu plus que difficile… C'est dans ce contexte qu'il faut mesurer la joie des Berlinois quand le président Kennedy vint, en 1963, leur rendre visite en proclamant "Ich bin ein Berliner", *il était donc bien un des leurs et, implicitement assurait que les États-Unis n'allaient pas laisser tomber Berlin.*

Dans les années 70 et 80, la situation s'était stabilisée, ceux qui étaient nés entre-temps ne pouvaient pas s'imaginer un Berlin sans mur, et les deux villes vivaient un destin de plus en plus séparé. Même si le mur avait forcément déchiré beaucoup de familles, la séparation ne correspondant à aucune logique historique naturelle de la ville, les gens s'étaient arrangés et avaient refait leur vie. À défaut d'attirer l'économie, la spécificité de la ville attirait les artistes (David Bowie entre autres) et les jeunes Allemands qui voulaient éviter de faire leur service militaire, puisque les Berlinois étaient dispensés du service national allemand.
Ce n'était pas la Bundeswehr, *forces armées de l'Allemagne fédérale, qui n'avait pas le droit de venir à Berlin, mais les armées des alliés, américaine, anglaise et française, qui assuraient la sécurité de la ville. La population des alliés donnait aussi un charme particulier à cette période du mur, puisqu'elle contribuait à une culture internationale, avec des chaînes de radio locales en anglais et en français, des écoles, et, pour les Français en particulier, de véritables villes dans la ville avec le* "quartier Napoléon" *(près de l'aéroport de Tegel), à l'intérieur duquel certains passaient des années sans avoir à parler l'allemand. (Aujourd'hui, ces installations, vides depuis le départ des alliés, sont souvent réutilisées pour la venue proche du gouvernement allemand, avec toutes les administrations centrales qui y sont liées.)*

Pour revenir à l'art, le mur lui-même, accessible de la partie Ouest, a été, au cours des années, transformé en une gigantesque œuvre d'art, où peintures et graffiti se côtoyaient sur des kilomètres. En fait, le mur a connu de nombreuses transformations. Au début, sa faible épaisseur (30 cm) ne résistait ni aux explosifs ni aux véhicules lourds, qui pouvaient l'enfoncer. Un renforcement apparut donc nécessaire, et l'épaisseur du mur, toujours de brique, passa à un mètre. Ce n'est qu'en 1976 que le mur atteignit 1,80 m d'épaisseur, ce qui ne permettait plus aux tanks de le transpercer. Le mur se présenta avec des plaques lisses et uniformes pour un mur "plus beau". Un support idéal pour les artistes, même si ce n'était certainement pas prévu. Les résultats sont aujourd'hui visibles grâce à des exposi-

Humour amer de cette peinture "murale": Brejnev et Honecker au temps du mur.

tions qui parcourent le monde, une partie importante se trouvant à New York.
À la fin, en 1989, tout alla très vite. Quand le gouvernement Est-allemand décide, le 9 novembre, d'ouvrir les points de transit en début de soirée, des milliers de Berlinois de l'Ouest affluent pour assister à ce passage, et montent finalement sur le mur. Les soldats du poste de contrôle du côté Est ne réagissent plus, et bientôt les premiers habitants de l'Ouest commencent à venir avec des marteaux et enlèvent un premier morceau du mur, alors que les postes de la frontière de l'Est essaient encore de les retenir. Peu après, les troupes de l'Est vont elles-mêmes abattre le mur, aidées par les Berlinois de l'Ouest. Commencera alors une ruée pour garder en souvenir un morceau du mur, les plus grands pans étant recueillis pour des musées et des expositions.
Aujourd'hui, l'ancien tracé du mur est de moins en moins visible. Les routes qui étaient coupées par le mur n'ont parfois pas le même revêtement au-delà d'un certain point, mais il faut vraiment être très attentif pour le remarquer. Mais ceci ne signifie pas que les conditions de vie entre Ossis (de l'Est) et Wessis (de l'Ouest) sont maintenant identiques...

L'été, le Ku'Damm s'anime de mille façons : animations de rues (ci-dessus) ou défilés incessants de passants et de voitures (ci-dessous), ici, en face du célèbre café Kranzler.

C'est le plus ancien de l'Allemagne, ouvert en 1844 et abritant aujourd'hui plus de 15 000 animaux, ce qui en fait le plus grand du monde !

Les premiers animaux tropicaux furent ramenés des anciennes colonies allemandes d'Afrique à la fin du XIXe siècle, et on leur construisit des abris cossus (la maison des girafes vaut le coup d'œil). De cette époque date aussi la **porte des Éléphants**, d'inspiration chinoise, reconstruite en 1984. La Seconde Guerre mondiale a en effet détruit une grande partie des constructions et des animaux : il en restait 91 en 1945 !
À ne pas manquer lors de votre visite : la maison des animaux nocturnes, la maison des volatiles et l'aquarium, qui est juste à côté, également l'un des plus grands du monde.

L'autre symbole du quartier est l'église du souvenir, la **Gedächtniskirche (1)**, située sur la **Breitscheidplatz,** avec sa fontaine moderne (1983) qui rafraîchit sur plusieurs niveaux les terrasses voisines et où les enfants font trempette durant les chaudes journées d'été. À l'origine, l'église était dédiée au souvenir de l'empereur Guillaume (son nom complet est *Kaiser-Wilhelm-Gedächtniskirche*), mais aujourd'hui elle rappelle sur-

Chorale en pleine démonstration : les chants de Noël sont particulièrement appréciés.

Le thé dansant (le dimanche dès 16 heures) est une institution très courue.

tout la dernière guerre, puisque sa tour n'a jamais été complètement réparée, en souvenir. Une tour complémentaire, de style moderne, fut édifiée en 1961, et c'est d'ailleurs la seule partie qu'on puisse visiter (le reste n'étant qu'une ruine vide, encore appelée "dent creuse" par les Berlinois).

Juste après, en direction de **Wittenbergplatz**, commence le **Tauentzien (2)**, axe commercial dont les principales attractions sont l'**Europa-Center -3** (centre commercial très populaire) et le **Ka De We (4)**, *Kaufhaus des Westens* (galerie de l'Ouest, tout un concept...), un des plus grands magasins du monde, avec notamment un rayon alimentaire très prisé, tout en haut de l'immeuble. De l'autre côté débute le Kurfürstendamm, probablement le boulevard le plus connu de la ville, appelé **Ku'Damm (5)** par les Berlinois. Inutile de le parcourir sur toute sa longueur (ce serait bien long), mais si le temps le permet, il est agréable de flâner entre boutiques et cafés jusqu'à la hauteur d'**Adenauerplatz (6)** (une station de métro du même nom existe également). Les cafés les plus connus sont le **Kranzler (7)** (au n° 18) et le **Möhring (8)** (au n° 213), et leurs terrasses sont très animées. Mais on est loin de la culture des cafés "jeunes" qui dominent la ville. Idéal néanmoins pour une pâtisserie vers 17 heures.

Le troisième axe important de Zoo est la **Kantstrasse (9)**, déjà beaucoup moins commerçante, et artère principale d'un quartier de restaurants, de galeries et de cafés très agréables, situé autour de **Savignyplatz (10)**. Cette petite place carrée abrite en été un restaurant dissimulé dans la verdure et qui mérite une pause. On y trouve également beaucoup d'antiquaires, de libraires, un mélange bien plus original que celui du KuDamm, en particulier dans les rues partant de cette place : Bleibtreustrasse, Knesebeckstrasse, Giesebrechtstrasse et Mommsenstrasse.

L'église du souvenir (droite), longtemps symbole de Berlin-Ouest.

Les murs du zoo sont déjà, à eux seuls, prometteurs des merveilles qu'ils protègent.

Charlottenbourg
et les quartiers des musées

Pêcheur tranquille sur l'île aux Musées (ci-dessous).
Grille du château de Charlottenbourg (pages précédentes).

Berlin, on le sait, est une ville divisée où toute activité à été dédoublée. On n'échappe pas à la règle en ce qui concerne les musées. Il y a désormais trois quartiers principaux de musées : l'île aux Musées, qui est le plus ancien et qui abrite les plus prestigieux, comme le musée Pergamon. Mais il serait dommage de passer à côté des deux autres, Charlottenbourg et Dahlem.

Néanmoins, cette répartition devrait également changer, puisque les principales collections de Dahlem doivent rejoindre le centre-ville, l'île aux Musées d'une part et le Kulturforum d'autre part, salle en construction qui doit devenir, à terme, le nouveau centre culturel. Quant aux musées de Charlottenbourg, deux d'entre eux, le Musée égyptien et le musée de la Préhistoire, devraient également être transférés prochainement sur l'île aux Musées (dans les bâtiments du Altes und Neues Museum). D'ici là, profitez de la dispersion pour découvrir des quartiers simples et charmants, et peut-être plus typiquement berlinois que les quartiers centraux.

Nous ne citerons ici que les musées les plus importants, d'autres plus petits se trouvent souvent dans les environs et attendent d'être découverts par les curieux.

Château de Charlottenbourg et alentours

Le château baroque de Charlottenbourg a connu des aménagements au fil du temps, comme l'Orangerie, mais reste un des joyaux du XVIIIe siècle. Il était conçu comme résidence d'été (à l'époque, il était éloigné de 8 km de la ville de Berlin !) pour Sophie-Charlotte, épouse de Frédéric Ier. Même s'il est bien moins important que le château de Potsdam, on peut faire de belles balades dans ses jardins (où se trouve également une petite maison consacrée au thé, présentant une collection de porcelaines). Le parc du château est bordé par le canal **Landwehr**, dont les berges sont particulièrement agéables pour une promenade…qui peut mener jusqu'à la forêt de Tiergarten (Strasse des 17. Juni). Mais ne quittons pas si vite le château, car quelques jolies salles, dont la galerie dorée de style rococo, valent la visite. Le café-restaurant de la petite orangerie est également très agréable. On peut y faire une pause avant de traverser la rue et de se rendre dans plusieurs très beaux musées, le **Musée égyptien** (Schlossstr. 70), avec son fameux buste de Néfertiti, le **musée de la Préhistoire**, juste à côté, et le **musée Bröhan** (Schlossstr. 1a), consacré à l'art du Jugendstil. Il abrite depuis peu la magnifique collection Berggreuen (Schlossstr. 1), avec des œuvres de Picasso, mais aussi de Cézanne, Giacometti, van Gogh et Klee.

Dahlem

Près de la gare de métro Dahlem-Dorf, la ville de Berlin (Ouest) a reconstruit après la dernière guerre des musées pouvant abriter les trésors de guerre tombés entre les mains des alliés occidentaux, puisque les bâtiments de musées historiques étaient tous dans la partie Est. Pour la même raison, d'ailleurs, y fut installée, à proximité, l'**Université Libre de Berlin**, l'Université de Humboldt ayant été également coupée de la partie Ouest. Ainsi, ce quartier paisible de villas est devenu un petit centre culturel, comptant plusieurs cafés d'étudiants et des librairies, dispersés dans la verdure environnante.

En ce qui concerne les musées, les deux joyaux du quartier sont la galerie de la peinture et la galerie des sculptures. Mais puisqu'ils sont quand même un peu excentrés depuis la chute du mur, leur transfert dans le centre (le Kulturforum pour la galerie de la peinture et Bode-Museum dans l'île aux Musées pour la galerie des sculptures) est prévu prochainement.

D'autres musées resteront néanmoins à Dahlem, dont, notamment, le **musée d'Ethnographie**, qui possède une très belle collection d'œuvres de tous les continents, et qui, avec ses bateaux grandeur nature, représente une visite fascinante pour les enfants.

L'île aux Musées

Cette île est le véritable cœur de l'ancien Berlin, et elle est attirante non seulement pour ses collections, mais aussi pour la beauté de son site. Le plus connu de ses musées est le **musée Pergamon**, consacré aux antiquités gréco-romaines, avec le célèbre **autel de Pergame** qui occupe à lui tout seul une salle entière.

L'autre musée à ne pas manquer est le **Bode-Museum** (Bodestr, 1-3), qui renferme actuellement des collections de peintures, de sculptures, mais aussi des pièces antiques et égyptiennes. Avec la réorganisation des musées, il devrait néanmoins se concentrer dans un futur proche sur les collections de peintures et de sculptures allant jusqu'à la fin du XVIIIe siècle.

Trois autres musées, l'**Altes Museum**, **le Neues Museum** et l'**Alte Nationalgalerie** sont en cours de réaménagement pour, à terme, accueillir des collections de Dahlem et de Charlottenbourg.

Musicien sur le bord de l'île aux Musées.

Tiergarten

Tiergarten est un bois de deux cent vingt-cinq hectares en plein centre ville. Imaginez un instant la place de la Bastille entourée de forêt, ajoutez-y un opéra, un centre culturel de première importance et l'Assemblée nationale, et vous aurez une vue d'ensemble de ce quartier assez surprenant, mais typiquement berlinois.
Le parc qui donne son nom au quartier, le **Tiergarten** (jardin zoologique) ne compte plus d'animaux depuis longtemps, alors que, lors de sa création, le roi venait y chasser. En revanche, dès les beaux jours, le parc est peuplé de Berlinois en tous genres. Entre méchouis turcs, vélos et balades en bateau (on peut louer des barques pour une promenade très romantique autour du **Neuer See - 1**), on peut apprécier la diversité de la population berlinoise.
Au centre du parc se trouve la place de la **Siegessäule (2)** (colonne de la victoire), célébrant la victoire de 1871 de la Prusse sur la France (ainsi que, auparavant, sur l'Autriche et le Danemark), popularisée par Wim Wenders dans les *Ailes du désir.* C'est aussi un joli point de vue

Souvenirs de l'ex-Allemagne de l'Est au marché aux puces de Tiergarten *(ci-dessous). La colonne de la victoire (pages précédentes).*

sur l'ensemble de la ville pour les courageux, l'escalier étant raide. La place (qui s'appelle **Grosser Stern -3**, grande étoile) est bordée de statues d'hommes d'État allemands, dont Bismarck.

Juste au nord, on remarquera le château **Bellevue (4)**, aujourd'hui résidence officielle du président de la République, et donc impossible à visiter. Chaque week-end, le long de la rue du 17-Juin (*Strasse des 17 Juni*) se tient un **marché aux puces (5)** très animé. Les amoureux de la brocante germanique seront ravis : porcelaines, annonces publicitaires en émail, meubles du *Bauhaus* se mêlent aux fripes très berlinoises et aux autres souvenirs des surplus militaires des pays de l'Est. C'est aussi l'occasion de déguster une *currywurst* accompagnée d'un

Pause vin chaud (Glühwein) *sur un marché de* Noël (*ci-dessous*). *On retrouve tout* Tiergarten *– et* Berlin *– en un clin d'œil dans ce décor de cinéma des studios de* Babelsberg (*pages suivantes*).

96

25

Le monument aux morts russes (haut gauche), la résidence présidentielle Bellevue *(haut droite), le* Reichstag *(bas gauche), le centre des congrès, rebaptisé "l'huître enceinte" (bas droite).*

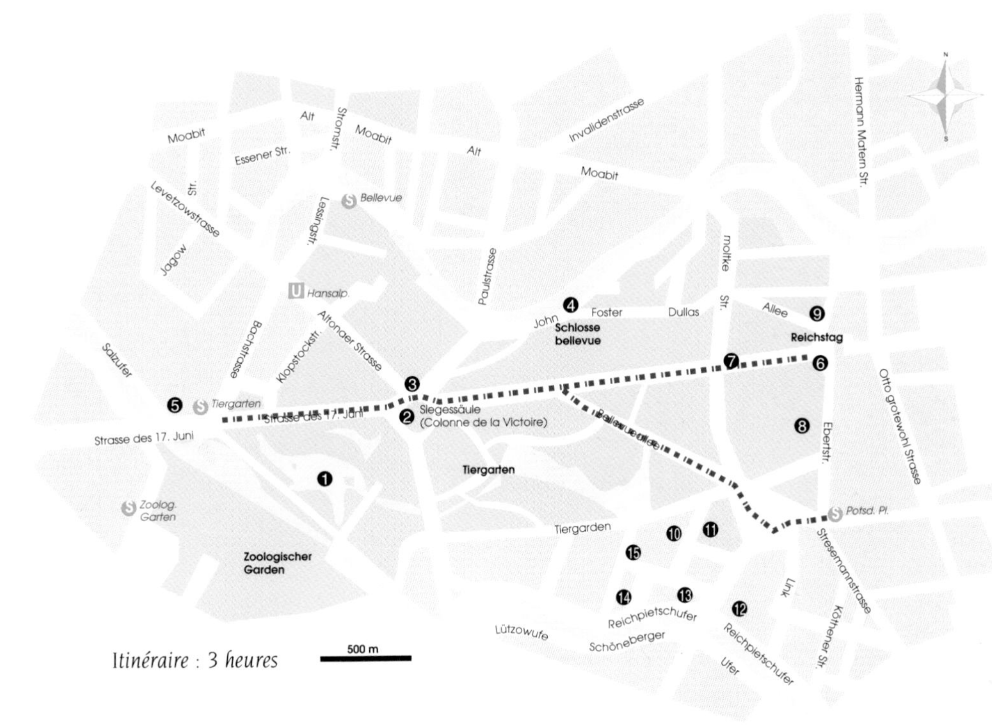

Glühwein (vin chaud parfumé à la cannelle) à l'abri de l'un des nombreux *imbiss* (stand de restauration rapide).

Vers l'est, on peut rejoindre à pied, en traversant le parc par une allée bordée d'autres statues d'illustres Allemands, le monument le plus connu de la ville, la **porte de Brandebourg (6)**, datant de la fin du XVIIIe siècle. Coiffée du célèbre quadrige en cuivre, tourné maintes fois vers l'Est puis l'Ouest au gré des humeurs politiques, cette porte, entre ouest et est, est le symbole de la partition (le mur passait précisément là) puis de la réunification de l'Allemagne.

En chemin, le **monument aux morts russes (7)**, érigé en 1946, rappelle l'histoire tumultueuse de la ville, alors enjeu stratégique et politique majeur. Autour, on aperçoit l'énorme chantier de la **Potsdamer Platz (8)**, avec au centre le **Reichstag (9)**, ancien et futur siège du Parlement allemand.

Le **Kulturforum (10)**, au sud du parc, est un peu l'équivalent, pour l'Ouest de la ville, de l'île aux Musées. On y trouve les principaux

Berlin
Unter den Linden
BERLIN
Berliner Luft
BERLIN - City
BERLIN Dom
Berliner Chronik
Weltstadt BERLIN
BERLIN
Berliner Dom
BERLIN - Spree
BERLIN · NIKOLAIVIERTEL
BERLIN Dom
Nikolai-Viertel
Grüße aus BERLIN
BERLIN - Rathaus
BERLIN MITTE
BERLIN
BERLIN
Berlin
BERLIN
BERLIN
BERLIN
Gold-Else
Berlin
Alexanderplatz heute

lieux culturels de la ville :
la **Philharmonie (11)** et le **Kammermusiksaal**, conception de l'architecte Scharoun, qui abritent l'un des meilleurs orchestres du monde.

Dans le même ensemble architectural, on trouve la **bibliothèque nationale (12)**. Avec une autre bibliothèque de l'Est, située dans Unter den Linden, leur nombre de livres dépasse 15 millions et, à elles deux, elles forment ainsi la plus grande bibliothèque d'Europe.

La **Neue Nationalgalerie (13),** l'ancienne se trouvant naturellement sur l'île aux Musées, construite par Mies van der Rohe, abrite des peintres allemands contemporains et des expositions de haut niveau.
Plus récente est la **Gemäldegalerie (14)**, consacrée aux peintres allemands du XVIIIe jusqu'au début du XIXe siècle (notamment Beckmann, Dix, Grosz). On trouve aussi le musée des Arts décoratifs (**Kunstgewerbemuseum - 15**).

Découpe de portraits (ci-dessus) et concert de musique militaire (ci-dessous).

Tout Berlin en cartes postales. La ville est régulièrement visitée par les touristes du monde entier.

La porte de Brandebourg, vue depuis la Pariser Platz.

ariser
latz

Économie et politique

À Berlin, économie et politique sont toujours étroitement liées, même si c'est aujourd'hui moins vrai qu'avant la chute du mur. En effet, pendant cette période du mur, la partie Ouest de la ville ne pouvait survivre que grâce aux subventions fournies par la RFA, qui couvraient plus de 50 % de son budget. Tous les salariés berlinois recevaient alors, comme encouragement et afin de rester fidèles à leur île, un Berlinzuschlag, une prime spécifique à Berlin.

Maintenant, les choses se normalisent peu à peu, mais les travaux de réhabilitation de la partie Est, ainsi que l'aménagement des futurs locaux du gouvernement, ne peuvent bien entendu être financés uniquement par la ville elle-même, qui est actuellement au bord de la faillite. Ainsi, des pelouses municipales ne sont plus entretenues aussi souvent qu'avant, des piscines et des théâtres publics ont dû fermer… une crise économique connue aussi, mais dans une moindre mesure, par d'autres Länder allemands. Les investisseurs étrangers ne sont pas venus s'installer si vite qu'on l'avait espéré, et les rentrées fiscales restent maigres, comparées aux dépenses concernant une population avec un fort taux de chômage. Quant aux entreprises de Berlin-Est, une grande partie a dû fermer pour manque de productivité.

Historiquement, l'industrie a un poids important dans le développement économique de la ville. Des quartiers entiers sont nommés d'après des grands noms de l'industrie allemande, comme, notamment, Siemensstadt, bâtie dans les années 20 dans le quartier de Spandau pour les ouvriers de cette entreprise, dont les usines sont juste à côté. Elle y a toujours gardé son siège, contrairement à beaucoup d'autres sociétés, berlinoises d'origine, et qui ont quitté la ville après la construction du mur, par peur d'être coupées de leurs fournisseurs et de leurs marchés.

La société de service laisse aussi ses empreintes à Berlin et, parmi les employeurs importants aujourd'hui, on peut, par exemple, citer l'aéroport de Tegel. Néanmoins, la fonction publique restera encore longtemps le premier employeur de la ville.

Pour réduire davantage les coûts administratifs et pour intégrer Berlin à son voisinage, une initiative visant à regrouper les Länder *de Berlin et de Brandebourg (avec sa capitale Potsdam) a été finalement refusée par les populations, consultées par référendum. Ainsi, la ville de Berlin affrontera seule les défis économiques et politiques de cette fin de siècle, parmi lesquels la venue du gouvernement allemand.*

Berlin est d'ores et déjà capitale, mais c'est surtout une décision de principe sans impact réel pour le moment. Les administrations et les parlementaires hésitent à quitter Bonn, petite ville paisible au bord du Rhin, pour le monstre chaotique, forcément plus sale et plus dangereux. L'échéance a donc été repoussée pour l'instant au 1er Janvier 2000.

On aura alors dans cette ville non seulement le siège du président allemand, qui a déjà sa résidence officielle au château de Bellevue *(même si on ne l'y voit pas souvent), mais aussi et surtout l'homme fort de la constitution allemande, le chancelier et son gouvernement, dont le siège (la chancellerie) constitue actuellement un des grands chantiers du centre-ville. De même, reviendra dans le Reichstag, le Parlement allemand (*Bundestag*).*

Lorsque la reconstruction du nouveau quartier gouvernemental autour de la Potsdamer Platz sera achevée, et que les bureaux de Sony, Daimler Benz et autres multinationales seront utilisés, un bon coup de pouce économique sera donné, grâce à l'arrivée dans la capitale de plusieurs milliers de personnes.

Pour l'instant, Berlin est donc surtout une des villes-États de la République fédérale d'Allemagne *(comme Brême et Hambourg, alors que Munich, par* exemple*, est capitale du* Land *de Bavière et Francfort, celle du* Land *de Hesse). Le maire siège désormais de nouveau dans le* Rotes Rathaus, *pas loin de l'Alexanderplatz. Le nom de ce bâtiment est dû aux briques rouges avec lesquelles il fut construit en 1869, indépendamment du fait qu'il a servi aussi, par la suite, au maire de Berlin-Est du temps de la RDA.*

Berlin est composé de quartiers (Bezirke) *qui jouissent d'une relative autonomie pour les affaires courantes, avec pour chacun sa mairie et ses députés. Il y a une vraie identité de quartier, et c'est un point de repère important pour les habitants, qui ont ainsi le sentiment de ne pas trop se confondre dans la masse.*

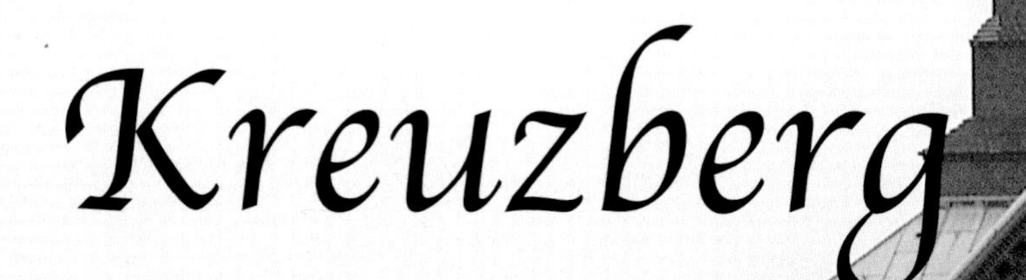
Kreuzberg

So gut
wie Berlin
ohne Mauer.

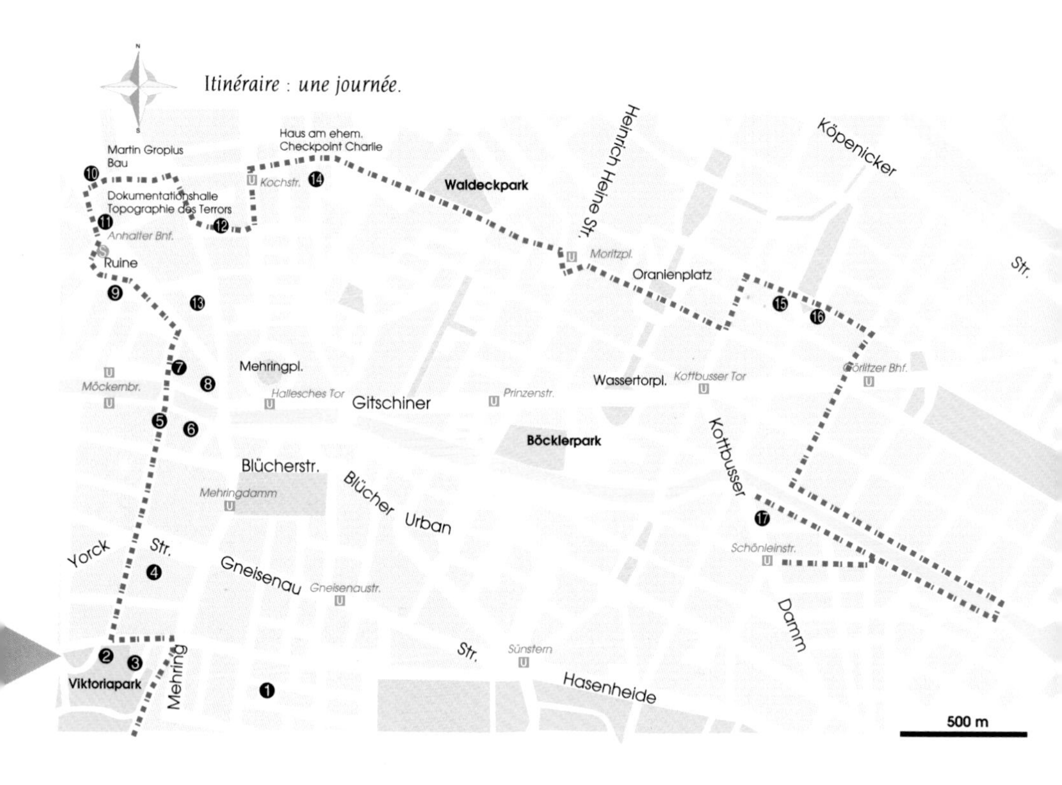

L'Oranienstrasse rappelle au visiteur l'esprit de Kreuzberg : ici, des boutiques dont les devantures sont déjà, à elles seules, tout un spectacle.

Si un quartier de Berlin-Ouest a changé depuis la chute du mur, c'est bien celui-ci. On en comprend la raison rien qu'en regardant le tracé du mur sur une ancienne carte de la ville. **Kreuzberg**, pourtant à ses origines un quartier très central, était, avec le mur, devenu un quartier marginal sous bien des aspects et c'était là son attrait principal pour la scène artistique et intellectuelle des années 70 et 80.

Après la réunification de l'Allemagne, cette énergie créative s'est en grande partie déplacée vers l'Est, dans des quartiers comme **Prenzlauer Berg** ou plus loin encore, vers Prague par exemple, parce que Berlin est redevenue trop "normale". Néanmoins, Kreuzberg reste toujours un quartier animé. Des populations diverses s'y côtoient sans heurts : les étudiants y trouvent des logements bon marché et des divertissements, les Turcs de deuxième génération y conservent leurs repères communautaires, et enfin les anciens du quartier, qui ont vu tant de choses, n'en bougeraient pour rien au monde.

Kreuzberg reste l'un des plus pauvres et des plus jeunes quartiers de la ville, mais la tendance actuelle est à l'embourgeoisement. Ce qui implique des changements aussi agréables que salubres : les façades aux graffiti autrefois spectaculaires retrouvent leur classicisme d'antan par la magie de la rénovation, et les "squatters" se font moins nombreux. La réhabilitation des canaux et de

leurs rives permet de redécouvrir quelques-uns des plus agréables cafés en terrasse de la ville, surtout en été.

Pour le visiteur, ce quartier peut à lui tout seul facilement occuper une journée entière, entre les balades, les musées, les cafés, les boutiques plus originales les unes que les autres. Par sa situation centrale et par sa diversité, ce quartier est peut-être même idéal pour débuter une visite de la ville.

Un bon point de chute dans ce quartier est la **Chamissoplatz (1)**, un ancien haut lieu des étudiants et des artistes, qui a, depuis quelques années, retrouvé la splendeur de ses façades restaurées. Tout près se trouve un petit parc, le **Viktoriapark (2)**, dont l'attraction principale est la colline qui a donné le nom au quartier, le **Kreuzberg (3)**. Du haut de cette colline, on a une bonne vue d'ensemble de cette partie de la ville.

Au fil des rues s'offrent au visiteur curieux de superbes arrière-cours, qui ont rendu la ville, et particulièrement Kreuzberg, célèbre. Le **Riehmers Hofgarten (4)**, par exemple, est un bel ensemble architectural de la fin du XIXe siècle, toujours prisé par les artistes. On peut même y résider dans un hôtel sympathique.

En remontant vers le nord, on traverse le canal au niveau du **Möckernbrücke (5)** ou du **Mehringbrücke (6)** – ce ne sont pas des abords très calmes, contrairement à ceux situés plus à l'est du quartier – pour rejoindre une zone riche en monu-

Les restes de l'ancienne gare centrale (ci-contre). Une enseigne au nom de Max et Moritz, héros de livres pour enfants,et sans doute la paire de garnements la plus célèbre du pays (ci-dessus).

ments, musées et théâtres. On croise d'abord les théâtres, puisque la **Theatermanufaktur (7)** et le **Hebbeltheater (8)** sont au bord du canal. Il serait dommage de ne pas admirer la ruine de la **Anhalter Bahnhof (9)**, l'ancienne gare centrale de la ville, où s'arrêtaient (*anhalten*) tous les trains pour repartir en sens inverse. On est là tout près du centre-ville (Mitte). Juste à côté, on peut visiter quatre espaces culturels très différents :

Entrée du musée Checkpoint Charlie, ornée de l'emblème de la RDA.

- le **Martin-Gropius-Bau (10)**, construit aussi à la fin du XIXe siècle, ancien musée de l'Artisanat, et qui abrite aujourd'hui des expositions ;
- le hall de documentation **Topographie des Terrors (11)**, qui fait découvrir d'anciennes caves de la Gestapo ;
- le **musée des Transports et des Techniques (12)**, situé dans un ancien château d'eau ;
- et, en redescendant un peu, on trouve le **Berlinmuseum (13)**, le bâtiment public le plus ancien de la partie Ouest de la ville, mais qui doit fermer en 1998.

L'endroit était avant la dernière guerre le quartier de la presse, le *Fleet street* berlinois. Il abrite aujourd'hui deux noms importants de la presse berlinoise, voire nationale : les éditions Springer (*Bild*, *BZ* pour

Fête de mariage au sein de la communauté turque.

la version berlinoise, mais aussi *Die Welt* et bien d'autres publications), et le journal alternatif *Tageszeitung* (TAZ pour les Berlinois).
Comme souvent à Kreuzberg, on est tout proche de l'ancien tracé du mur (le long de la Niederkirchner puis Zimmerstrasse), mais il devient de plus en plus difficile de se l'imaginer, tout comme l'existence, au

Entrée Art Déco *d'un bar de* Kreuzberg *(ci-dessus).* *Pont centenaire, symbole du* Berlin *unifié - il était précisément sur la frontière –, le* Warschauerbrücke *a été réouvert après sa restauration en* 1997 *(droite).*

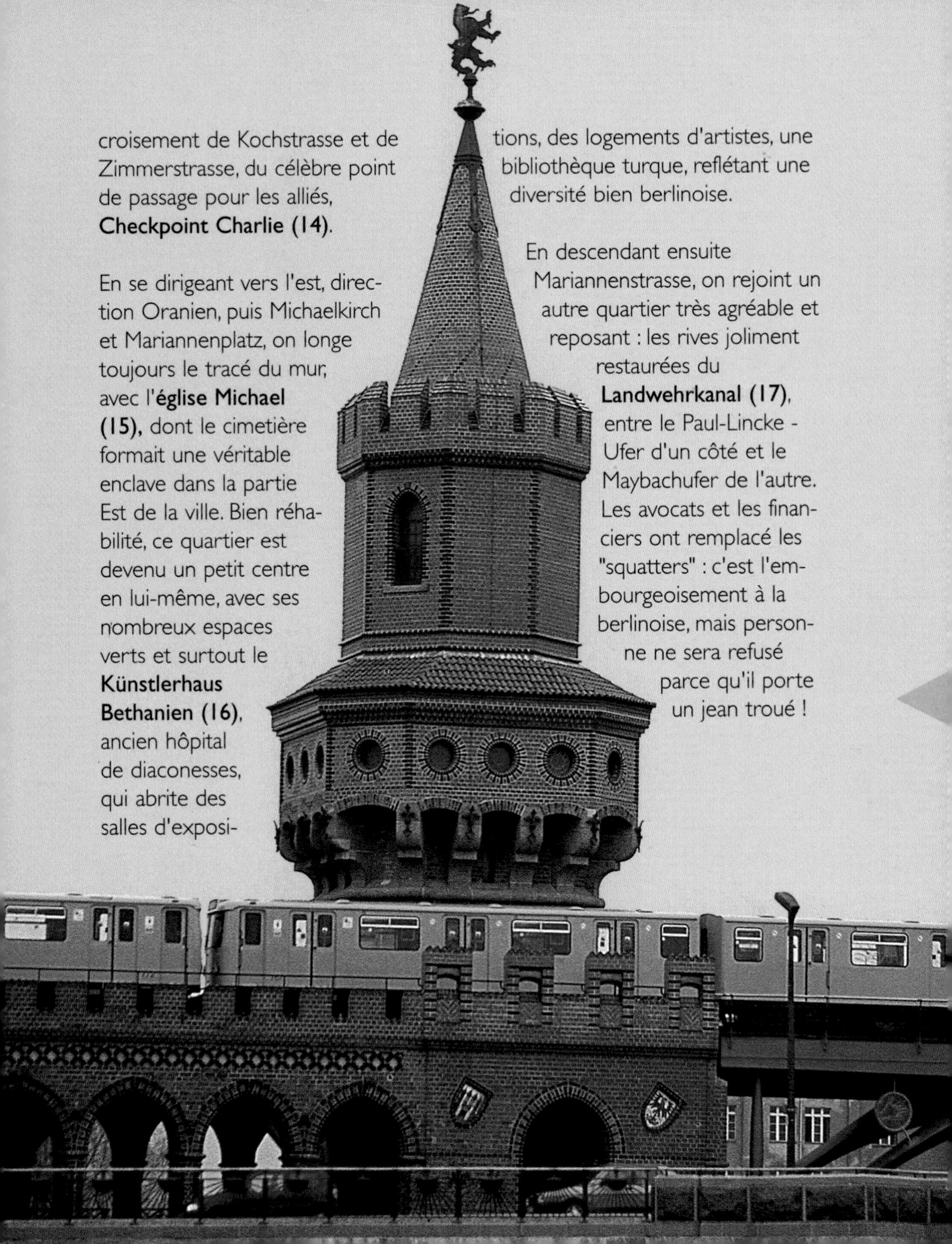

croisement de Kochstrasse et de Zimmerstrasse, du célèbre point de passage pour les alliés, **Checkpoint Charlie (14)**.

En se dirigeant vers l'est, direction Oranien, puis Michaelkirch et Mariannenplatz, on longe toujours le tracé du mur, avec l'**église Michael (15),** dont le cimetière formait une véritable enclave dans la partie Est de la ville. Bien réhabilité, ce quartier est devenu un petit centre en lui-même, avec ses nombreux espaces verts et surtout le **Künstlerhaus Bethanien (16)**, ancien hôpital de diaconesses, qui abrite des salles d'expositions, des logements d'artistes, une bibliothèque turque, reflétant une diversité bien berlinoise.

En descendant ensuite Mariannenstrasse, on rejoint un autre quartier très agréable et reposant : les rives joliment restaurées du **Landwehrkanal (17)**, entre le Paul-Lincke - Ufer d'un côté et le Maybachufer de l'autre. Les avocats et les financiers ont remplacé les "squatters" : c'est l'embourgeoisement à la berlinoise, mais personne ne sera refusé parce qu'il porte un jean troué !

Une ville multiculturelle

À Berlin comme dans toutes les grandes métropoles, les vagues d'immigration se succèdent et ne se ressemblent pas, ni au fil du temps, ni par rapport aux autres grandes villes européennes. En fait, cette composition spécifique donne aussi à la ville un peu de son caractère.

Aujourd'hui, parmi les minorités les plus marquantes, on trouve :

• **Les Turcs et les Yougoslaves :**
Ces populations sont certainement les plus célèbres, et pour l'instant les plus nombreuses (surtout les Turcs). Ces immigrés sont arrivés dès les années 60 dans toute l'Allemagne, alors encouragés par le besoin de main-d'œuvre. Comme beaucoup de minorités, ils ont leurs quartiers, notamment Kreuzberg, mais aussi **Wedding** ou **Neukölln**, où l'on trouve des classes d'école majoritairement turques, avec un enseignement du turc et de l'allemand. De par leur présence, l'islam est devenu la deuxième religion à Berlin après le christianisme, mais les mosquées se font discrètes, et c'est moins le caractère religieux que les traditions patriarcales qui heurtent certains de leurs voisins. D'un autre côté, les jeunes Turcs de la deuxième génération sont souvent plus allemands que turcs dans leur comportement, supportent mal les mariages pré-arrangés et surtout n'envisagent pas, pour la plupart, de retourner dans le pays de leurs parents, qui leur semble trop archaïque. Malheureusement, ils rencontrent encore beaucoup de discrimination, notamment professionnelle. Mais il y a aussi des success stories turques à Berlin, et bon nombre de boutiques, et non seulement des restaurants kebab (spécialité turque à découvrir), mais aussi des agences de voyages et des banques.

• **Les Vietnamiens :**
Si les Turcs sont représentatifs de l'immigration de l'Allemagne de l'Ouest, la communauté vietnamienne est un héritage de la RDA, qui invitait les ressortissants des pays frères (en dehors des Vietnamiens, on compte quelques ressortissants de l'Angola et du Mozambique). Aujourd'hui, avec l'effondrement de l'économie de la partie Est de la ville, cette communauté s'est

retrouvée démunie, et certains Vietnamiens sont devenus célèbres pour, par exemple, la vente organisée de cigarettes de contrebande. Ils n'ont pas vraiment pu se regrouper dans des quartiers spécifiques et vivent plutôt discrètement, craignant des attentats racistes, de plus en plus nombreux.

• **Les Russes et Polonais :**
Les derniers soldats russes partis, une nouvelle vague, de civils cette fois-ci, est arrivée à Berlin, notamment les Russlanddeutsche, *une exception bien allemande. En fait, le code de nationalité allemand est fondé sur la loi du sang, ce qui fait que des villages entiers sur les terres russes, peuplés par des Allemands il y a cinquante ans et plus, sont venus revendiquer leur nationalité allemande et s'installer dans cette ville après la chute du mur. Leurs connaissances de la langue sont souvent rudimentaires, mais ils se sont vite regroupés, de sorte que certains craignent même la venue de la mafia russe... Quant aux Polonais, rien de plus naturel pour un voisin pauvre (la frontière germano-polonaise passe à 50 km de Berlin) que d'aller à côté, même s'il est souvent condamné, pour l'instant, à l'illégalité. Mais cela devrait changer avec l'adhésion prévue de la Pologne à la CE.*

• **Les juifs :** *Cette minorité vit actuellement une époque de changement, avec l'arrivée récente d'une vague de juifs de Russie. En fait, après la persécution du III*[e] *Reich, la communauté juive était devenue quasi inexistante en Allemagne et ne voulait surtout pas aller à Berlin.*
Pourtant, quelques monuments (si peu !) témoignent encore de leur poids dans le passé, à l'exemple du plus grand cimetière juif d'Europe, situé à **Weissensee**, *à l'est de la ville. Un autre se trouve dans le quartier du Prenzlauer Berg (***Schönhauser Allee***), non loin de l'une des rares synagogues épargnées, servant encore de lieu de rassemblement, et qui se trouve dans la Rykestrasse. Mais la synagogue principale est maintenant celle de l'***Oranienburger Strasse***, détruite par les nazis lors de la* "nuit de cristal", *mais reconstruite très récemment.*

• **Les alliés occidentaux :**
Ils sont partis. Et leurs traces se perdent vite, des quartiers entiers qui leur étaient réservés sont réaménagés, en particulier pour loger les futures administrations centrales qui s'installeront avec le gouvernement. Certes, quelques-uns sont restés pour des raisons personnelles, mais ils se fondent désormais dans la masse.

Prenzlauer Be

Proche du centre historique, mais loin des monuments officiels, l'ambiance de Prenzlauer Berg et des quartiers adjacents, Scheunenviertel et Friedrichshain, y est bien différente. On se rapproche ici du Berlin des gens ordinaires, urbain et pourtant villageois.

Le **Scheunenviertel** était autrefois un des quartiers les plus pauvres et les plus mal famés. C'était aussi celui de la communauté juive. Situé au nord de l'Alexanderplatz (S-Bahn Hackescher Markt), on y trouve encore la plus grande synagogue de la ville (**Oranienburger Strasse**), récemment reconstruite (après sa destruction en 1943) pour y abriter le **Centrum Judaicum**. La station de métro du même nom se trouve à quelques pas de là, à **Hackesche Höfe**, qui vaut le détour, non seulement pour sa belle enfilade de cours et d'arrière-cours restaurées, mais aussi pour les activités culturelles de la vie artistique locale. Au **Tacheles** par exemple, un des hauts lieux de la création en tout genre, les ateliers de peinture voisinent avec des ferroneries, et les *happenings* culturels

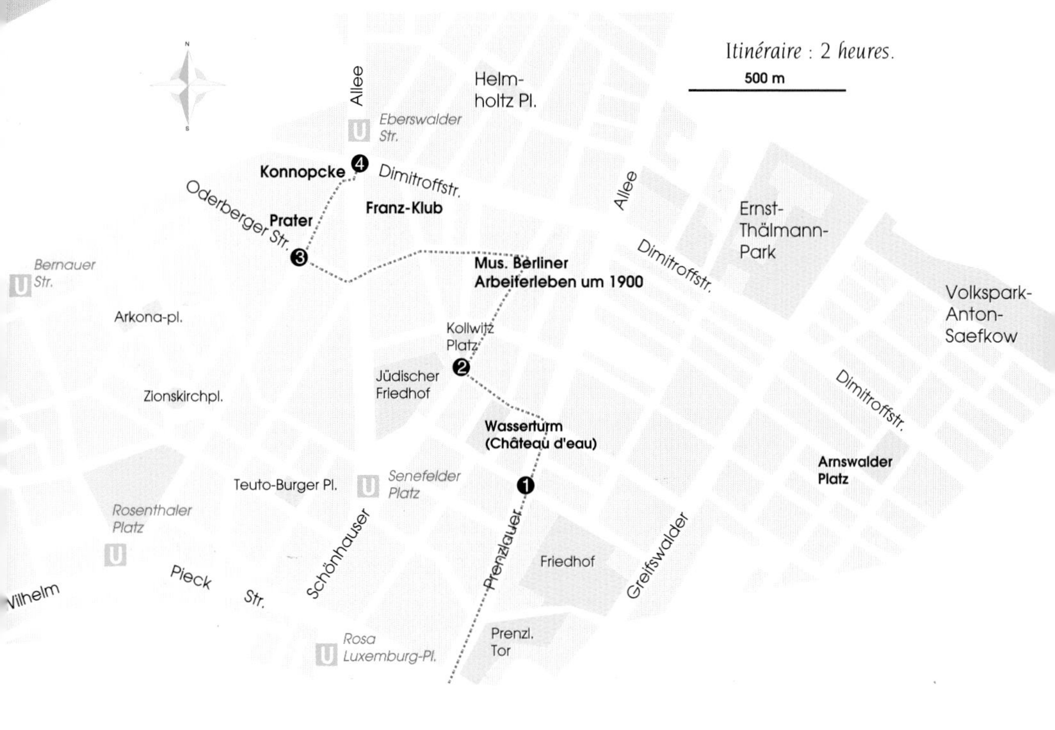

rivalisent d'imagination. En continuant la **Rosenthaler Strasse** vers le nord, on peut apprécier une des rues les mieux préservées du vieux Berlin, la **Mulackstrasse**.

Le **Prenzlauer Berg**, quartier traditionnellement populaire, attire les étudiants et les artistes depuis la chute du mur. Certains y voient même un nouveau Kreuzberg.
Le point culminant du quartier, le château d'eau (**Wasserturm - 1**), est un bâtiment circulaire surprenant, constitué d'appartements privés. La colline sur laquelle il est perché offre, été comme hiver, un terrain de jeux très prisé des enfants, en même temps qu'un joli panorama. De cette place carrée part la **Rykestrasse**, où se trouve, au n° 53, une des rares synagogues ayant échappé à la destruction des nazis et aux bombardements alliés. Elle est toujours en fonction, mais une autorisation est nécessaire pour la visiter.

À deux pas, la **Kollwitzplatz (2)** est la place centrale du quartier. Elle porte le nom de l'artiste Käthe Kollwitz, qui vécut dans le quartier et dont une œuvre se trouve sur la place elle-même. Toutes les rues partant de la place sont animées et valent le coup d'œil. La Husemannstrasse, déjà restaurée du temps de la RDA, comporte un intérêt particulier : elle abrite deux petits

Façade artistique pour cet immeuble près de Kollwitzplatz.

Sculpteur sur métal en plein travail dans son atelier d'Oranienburger Strasse (haut, droite).Façades sur la place du château d'eau de Prenzlauer Berg.

musées originaux, le musée de la Vie des ouvriers à Berlin vers 1900, avec la reconstitution d'un appartement de cette époque, et, à côté, le musée de la Coiffure et des barbiers (aux n°s 8 et 12).

Plus loin, dans la **Sredzkistrasse**, on arrive à une ancienne brasserie, Schultheiss, datant de la fin du XIXe siècle, devenue aujourd'hui une sorte de centre de rencontres pour les jeunes. On peut traverser alors la Schönhauser Allee et s'engager dans l'Oderberger Strasse (avec ses galeries d'art contemporain local) pour arriver au **Prater (3)**, ensemble de jardins et galeries d'exposition. On finira cette visite en s'engageant sur la Kastanienallee, qui amène directement au métro (Eberswalder Strasse), mais surtout à **Konnopcke (4)**, probablement le plus connu des stands (Imbiss) de *currywurst* de la ville (saucisse au curry, une des spécialités berlinoises, à ne rater sous aucun prétexte !).

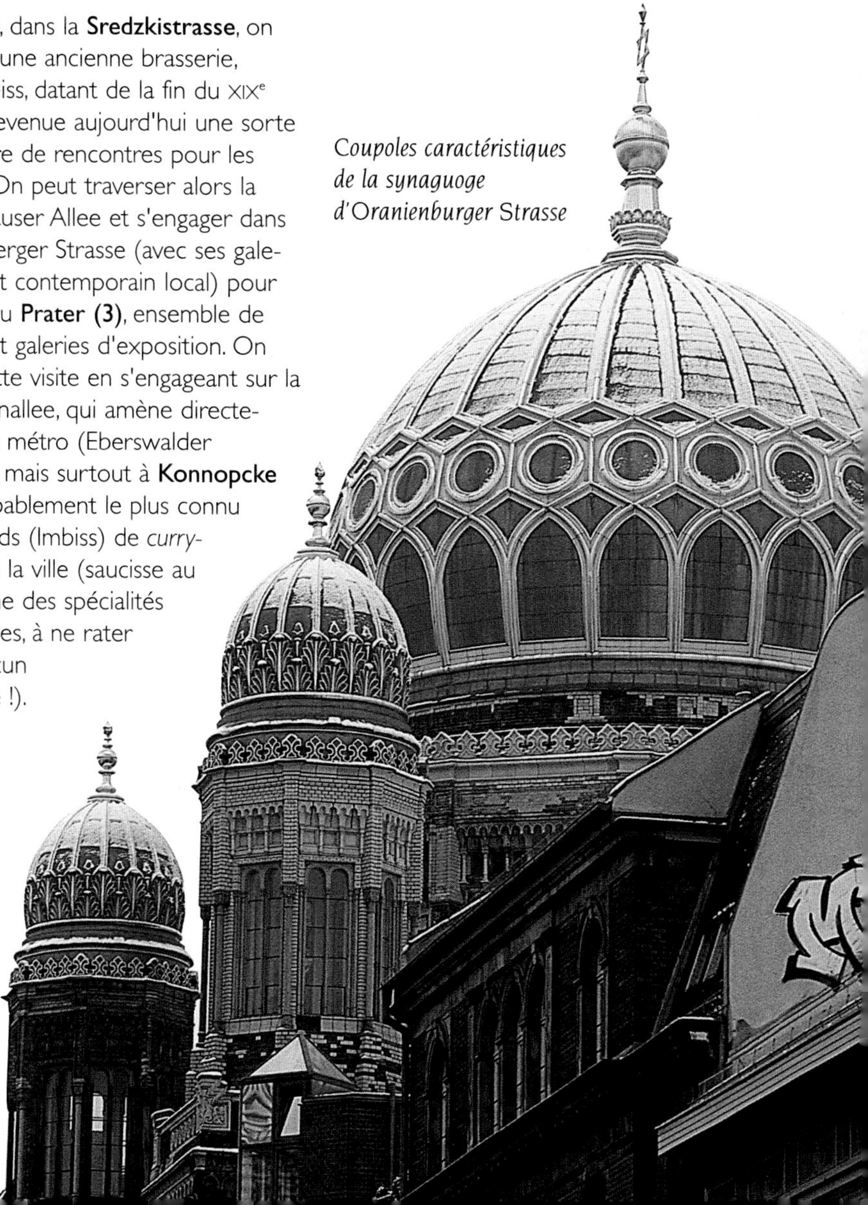

Coupoles caractéristiques de la synaguoge d'Oranienburger Strasse

Une atmosphère de fin du monde règne dans la cour du centre culturel d'Oranienburger Strasse.

Fête décadente dans un squat de Prenzlauer Berg.

Voilà bientôt dix ans que le mur est tombé, et pourtant on distingue toujours les Ossis (venant de la partie Est) des Wessis (de la partie Ouest), à Berlin comme d'ailleurs dans le reste de l'Allemagne réunifiée. Or, si on peut comprendre que les Bavarois ne connaissent pas bien les Saxons (par exemple), l'Allemagne ayant gardé depuis toujours une forte identité régionale (les Länder), ce phénomène est plus curieux au sein d'une même ville, d'un même Land, comme c'est le cas pour Berlin.

Par ailleurs, des deux côtés de la ville, les Berlinois "d'origine" sont plutôt rares ; ceux de la partie Ouest viennent des "anciens Länder" (c'est-à-dire de la RFA non encore réunifiée), ceux de la partie Est, des "nouveaux Länder" (de l'ex-RDA).

Tout d'abord, la différenciation ne peut plus se faire en fonction du lieu d'habitation actuel, puisque nombre de Berlinois de l'Ouest sont volontiers partis se reloger à moindre coût dans la partie Est de la ville, de préférence autour du quartier "branché" de Prenzlauer Berg. L'habitat, avant la chute du mur, était déterminant pour cette "classification".

Il s'agit bien d'une différence culturelle, née de quarante ans d'histoire parallèle des deux Allemagne, avec des repères bien distincts. Or, dans d'autres pays ex-socialistes d'Europe centrale, cette culture a disparu très rapidement. Mais les habitants de ces pays ont pu garder d'autres repères plus anciens, notamment celui de leur nation. La RDA, en revanche, a disparu en même temps que son système de valeurs, et il était difficile pour ses habitants de s'identifier à un ensemble allemand dont l'histoire, avant la séparation, ne donnait pas de raison de fierté. La spécificité de la RDA était justement d'être la nouvelle Allemagne, celle qui n'était pas l'héritière du nazisme.

Les Ossis s'accrochent, et s'accrocheront probablement encore pendant longtemps, même (ou surtout) à Berlin, à une identité propre, qui peut se définir par plusieurs éléments :

- *au niveau politique, on trouve le PDS, coalition entre les Verts, les* communistes et les socialistes, qui représente les intérêts des Ossis, même si quelques Berlinois de l'Ouest lui ont certainement donné leur voix ;

• au niveau des médias, à l'Est, le quotidien le plus lu est le Berliner Zeitung, alors qu'à l'Ouest, c'est le Tagesspiegel ;

sent, pas toujours sans raison, rejetée par les habitants de l'Ouest, qui affichent à leur égard de l'arrogance ou de l'indifférence, dans un climat de tension économique ;

• au niveau de la langue, par exemple, la RDA avait inventé des mots pour éviter de reprendre des

Ossis & Wessis

• au niveau des quartiers, la Friedrichstrasse, prise d'assaut par les investisseurs, est délaissée par la population de l'ex-Berlin-Est. On retrouve cette dernière dans des quartiers périphériques et plus tranquilles de la partie Est. Cette population se

mots anglais et a gardé certains mots, aujourd'hui désuets à l'Ouest.

Tout cela est une autre version de la façade multiculturelle de la ville, les Ossis (du moins ceux qui, parmi eux, ont choisi de s'y identifier) étant en quelque sorte devenus une des minorités, non pas ethnique mais culturelle.

Vendeur de Bretzels dans un bar de l'Est de la ville (gauche).
Terrasse d'un café du Ku'Damm (ci-dessous).

Les échappées

vertes

Berlin peut vite donner l'impression d'être une ville un peu triste et grise, surtout en hiver. Or c'est une des villes les plus vertes d'Europe, ce qui était sûrement un grand atout quand le mur l'isolait de ses alentours. Ainsi les Berlinois aiment bien la nature, et elle le leur rend bien. Plusieurs quartiers, plutôt périphériques, se prêtent à une échappée d'oxygène sans oublier la culture, sous forme de châteaux notamment.

Pour les amis de la nature, en particulier de paysages champêtres, choisissez plutôt le nord de Berlin (Tegeler Fliess/Lübars). Pour les forêts et les lacs, vous avez désormais le choix entre les environs du **Müggelsee** à l'est ou ceux du **Wannsee** au sud-ouest.

Zehlendorf/Wannsee, le quartier le plus verdoyant de Berlin, avec de grandes étendues de parcs et de forêts, le plus riche aussi par ses villas cossues, s'étend le long des lacs de la rivière **Havel**. C'est aussi là que se trouve une des grandes universités de la ville, la **Freie Universität**.

Pour le visiteur, ce sera surtout une agréable parenthèse dans un rythme citadin. Il pourra s'adonner à la baignade en été, à la promenade en toutes saisons, et découvrir ainsi quelques jolis petits châteaux nichés aux abords des lacs, ou même en plein milieu (celui de l'île aux Paons ; voir aussi le chapitre "Berlin, ville d'eau"). Seulement, attention, la forêt de **Grunewald** est très étendue, et il est impossible de tout faire à pied. Pour avoir une impression du caractère ancien de ce vieux domaine de chasse, on peut se rendre au relais-château de chasse (**Jagdschloss Grunewald**), datant du XVIe siècle, et qui a gardé son caractère d'époque. Pour cela, il faut prendre le bus n° 115, 186 ou 249, puis compter environ 20 minutes à pied. Le **Grunewaldsee** est en effet un des plus petits lacs de la chaîne qui s'étend ensuite plus vers le sud.
Pour les baignades, il vaut mieux se rendre au **Schlachtensee** ou à **Krumme Lanke** (station de métro du même nom), en évitant le **Strandbad Wannsee**, trop peuplé en été et

On trouve même des plages dan la (future) capitale berlinoise ! Friands de nature, les Berlinois profitent des promenades bucoliques qui leur sont offertes (pages précédentes). Le réseau de canaux permet aux plaisanciers étrangers d'arriver à Berlin (droite).

ČSPLO JESENÍKY

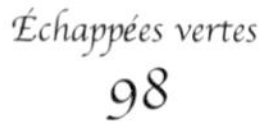

moins charmant. Mais, à proximité, sont à voir **Glienicke** et **Babelsberg**, jolis sites dans la verdure près de Potsdam (voir le chapitre suivant).

L'autre grand domaine de forêts et de lacs est donc celui du **Müggelsee**, à l'est de la ville, dans l'arrondissement de **Köpenick**. Ce domaine abrite le plus grand lac (7,5 km^2) de la ville, et les sentiers sont multiples. Pour y arriver, prendre la S-Bahn jusqu'à Friedrichshagen, puis le bus n° 169. Une fois sur place, on peut se rendre au **Müggelturm** ou faire l'ascension des **Müggelberge** pour jouir d'un beau panorama. Ensuite, il serait dommage de ne pas profiter de l'occasion pour une visite du vieux centre-ville de Köpenick (station de métro S-Bahn du même nom), une des plus anciennes zones d'habitation de l'agglomération berlinoise, avec son château du XVIIe siècle.
Un tout autre paysage attend le visiteur curieux qui se dirigera vers l'extrémité nord de la ville, notamment **Tegeler Fliess** et **Lübars** (arrondissement de Reinickendorf, bus n° 222). Lübars a gardé son aspect de petit village médiéval, avec son église, son école, deux auberges et même une caserne de pompiers de l'époque. Et les paysages qui l'entourent invitent à des promenades à travers les collines couvertes de blé. On est alors très loin de Berlin la capitale...

Les Berlinois sont friands de sports nautiques. Ici, au port de Wannsee.

Une ville d'eau

Difficile d'imaginer que Berlin est une ville d'eau, ayant plus de ponts que Venise (1 665 au total) ! À l'origine, les premières habitations se sont créées sur l'actuelle île des Musées, l'une seulement des quelque 35 îles, entourées par une cinquantaine de lacs, une centaine d'étangs, six rivières et deux canaux.
Toute cette eau provient essentiellement de la fonte des glaces à l'ère primaire, puisque Berlin était à la limite des terres gelées.

Les voies navigables ont été essentielles pour le développement de la ville, avant même l'époque de la Hanse, ligue de villes commerçantes allemandes dont Berlin fit partie. En effet, les canaux entre la Havel et la Spree relient à leur tour l'Elbe et l'Oder, autrement dit la mer du Nord et la mer Baltique. Une fois le rideau de fer tombé au milieu de l'Europe, cette fonction s'est un peu perdue, mais elle reprend aujourd'hui de l'ampleur.

Mais le rôle essentiel de cet environnement aquatique s'est aujourd'hui transformé : il sert principalement à la détente des métropolitains stressés.

Avec plus de 31 plages, au bord de lacs qui se réchauffent vite en été, et dont l'eau est d'une qualité tout à fait acceptable, la capitale est un havre pour les baigneurs, mais aussi pour les amateurs de bateaux de tout genre, les véliplanchistes, etc. La plus connue des plages est **Strandbad Wannsee**, très bondée et en plus, la seule à être payante. Préférez les petites criques qui se trouvent un peu partout. En hiver, en revanche, après une période de gel prolongée, on peut faire de longues balades en patins à glace...

Finalement, et ceci est particulièrement intéressant pour les visiteurs, il y a une multitude de ferries (Dampfer) qui font le tour des lacs, des traversées pour les îles, mais aussi de vrais périples autour de la ville grâce à son réseau de canaux. C'est un moyen de découverte agréable et très diversifié, qui aborde des endroits cachés et inhabituels, comme le centre-ville.

Si vous voulez découvrir une ambiance paisible, venue du temps de Frédéric-Guillaume II, prenez le bac qui relie Wannsee à la petite **Pfaueninsel** (île aux Paons), où subsiste une fausse (!) ruine de châtelet, et qui est effectivement peuplée de nombreux paons. Avec ses jardins anglais, c'est un site très romantique, un lieu de repos agréable. Nombre d'autres châteaux et parcs s'étendent aux abords de l'eau, principalement dans les quartiers de Zehlendorf et de Potsdam. N'oublions pas non plus les lacs aux portes Est de la ville, notamment le plus grand, le **Müggelsee**.
Les circuits les plus intéressants partent ou bien du Schloss Charlottenbourg, ou bien de derrière l'ancienne Kongresshalle, pas loin de la Philharmonie. Ils durent entre 1h30 et 3 heures environ, mais choisissez la plus longue balade afin de profiter pleinement des paysages (environ DM 20/personne). En général, on peut manger des petits snacks sur ces ferries, et par beau temps, on pourra contempler les environs depuis l'une des terrasses en plein air.

En partant du Schloss Charlottenbourg, par exemple, le canal vous mènera successivement au futur quartier du gouvernement avec le château de Bellevue, à l'île aux Musées dans le centre, puis à Kreuzberg, aux abords joliment restaurés, pour revenir le long du quartier de la Philharmonie (Kulturforum), avec une traversée du Tiergarten.

Potsdam

Images de Potsdam : la station de pompage de style mauresque, une rue classique récemment rénovée, les écuries (aujourd'hui transformées en cinéma-musée), les pignons caractéristiques du quartier hollandais (ci-dessus).
Figurine dorée de la maison de thé de Sans-Souci (pages précédentes).

Potsdam est un peu la petite sœur de Berlin sans le vouloir. Les deux villes sont reliées grâce au fameux pont de **Glienicke** (hors plan), qui servait à l'échange d'espions entre la RFA et la RDA. Après la chute du mur, la tentation était grande de collaborer davantage, entre celle qui était redevenue capitale de l'Allemagne et celle qui est dorénavant, et de nouveau, capitale du *Land* de Brandebourg (statut qu'elle avait perdu sous le régime de la RDA), État qui entoure Berlin. Mais le référendum pour réunir les deux *Länder*, Berlin et Brandebourg, a échoué, surtout à cause des votes brandebourgeois… Heureusement, le réseau de la **S-Bahn** ignore ces limites et vous y emmène facilement.

Pourtant, historiquement, les liens sont très importants, à commencer par le château du roi de Prusse, Sans-Souci. Il est surnommé, non sans raison, le Versailles de Prusse, car il est fortement inspiré de son cousin français. Et comme on imagine mal une visite de Paris sans Versailles, on n'ira pas à Berlin sans aller voir Potsdam.

Mais avant le château, la vieille ville de Potsdam vaut le détour, puisqu'elle a gardé de belles petites places, malgré les dégâts causés par la guerre et ensuite par les disgracieux édifices socialistes. Pour cela, le mieux est de sortir à la gare de S-Bahn **Potsdam-Stadt** et d'emprunter le **Lange Brücke**, qui franchit la **Havel**. Un arrêt s'impose devant le **Marstall (1)**, ancienne orangerie qui devint par la suite l'écurie royale du château, construite par von Knobelsdorff à la fin du XVIIIe siècle. Ce bâtiment abrite aujourd'hui un musée du cinéma.

On arrive ensuite sur la place **Alter Markt (2)**, où se trouvent l'office de tourisme et plusieurs monuments d'intérêt. Le bâtiment qui domine l'endroit de sa silhouette est l'**ancien hôtel de ville (3)**, avec sa grande coupole, de l'époque de Frédéric le Grand. Sur la même place, l'**église Saint-Nicolas (4)** est plus récente, du style néo-classique de Schinkel. En continuant vers le nord, on arrive d'abord sur la place de l'Unité (**Platz der Einheit – 5**), puis sur la **Bassinplatz (6)**, avec deux églises, **Peter-Paul (7)** et **Französische Kirche (8)**. Au-delà de cette place commence le fameux **quartier hol-**

Coiffant l'hôtel de ville, ce titan porte sur ses épaules le fardeau du monde.

Restauration
Berliner
Kindl
Bier
Berliner
Kindl
Bier
Stehbierhalle
Lagerbier

Promenaden
Conditorei

landais (9), que Frédéric-Guillaume Ier fit construire par des artisans néerlandais, malgré le sol marécageux de cette zone, qui ne se prêtait guère aux lourdes briques rouges. Le projet visait à attirer des Hollandais dans la ville, mais ce furent finalement des soldats qui y logèrent. Le quartier a été fortement détruit, mais récemment restauré, et on retrouve encore quelques jolis passages entre la **Friedrich-Ebert** et la **Hebbelstrasse**.

Symbole solaire pour un château largement inspiré par Versailles.

Au croisement de la Friedrich-Ebert et de la Hegelallee, sur la place du **Nauener Tor (10)**, on tournera dans la **Hegelallee** à gauche pour se diriger lentement vers le parc du château. L'allée principale (**Hauptallee**) du parc amène dans un premier temps à la grande fontaine. On est alors face au château, qui est entouré à gauche par les **Neue Kammern (11)** (nouvelles chambres,

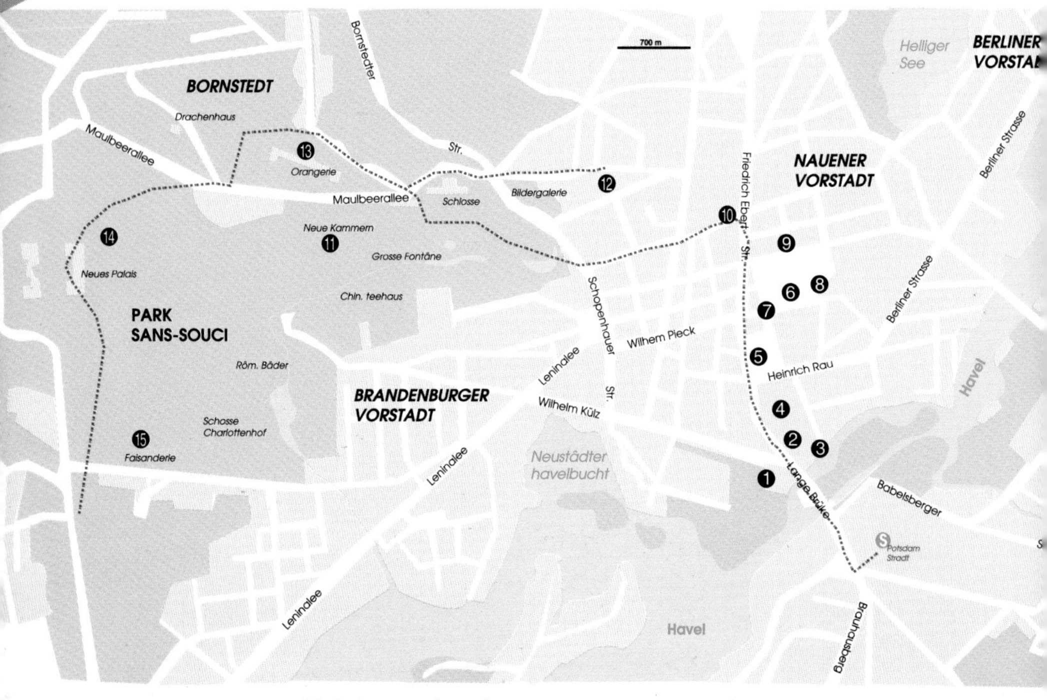

Itinéraire : une journée.

datant quand même de 1747, qui étaient à l'origine une orangerie), et à droite par la **Bildergalerie (12)** (galerie de tableaux, également du XVIIIe siècle, la première de son genre à l'époque).

En contournant le château, on arrive à la (nouvelle) **Orangerie (13)**, datant de 1840, d'où l'on peut profiter d'une magnifique vue d'ensemble. Il serait dommage de ne pas inclure dans la visite le **Neues Palais (14)**, plus à l'ouest du parc, ne serait-ce que pour prendre un café dans cet endroit magnifique, construit entre 1763 et 1769. On pourra alors achever la visite en reprenant la S-Bahn au niveau de **Wildpark**, au sud du Neues Palais, ou, pour les plus courageux, à Potsdam-West, ce qui permet de passer devant les édifices les plus récents (XIXe siècle) du château de **Charlottenhof**, de **la faisanderie (15)** et des bains romains.

Le somptueux escalier qui mène au château de Sans-Souci est emprunté quotidiennement par des centaines de touristes (ci-dessous). On retrouve un air du Berlin d'autrefois dans les studios de Babelsberg (pages précédentes).

Difficile d'imaginer qu'il y a moins d'une décennie le pont Glienicke, qui relie Potsdam à Berlin, était le lieu d'échange des espions de l'Est et de l'Ouest.

Silhouette du moulin du château de Potsdam, près de l'orangerie.

Babelsberg, Glienicke

À la limite de Berlin et de Potsdam (prendre un bus depuis la S-Bahn Wannsee ou Potsdam), se trouvent deux jolis châteaux, Babelsberg et Glienicke. Ils ont été tous deux construits par Schinkel au début du XIXe siècle, et ils sont tous les deux entourés de jolis parcs paysagers. Mais les deux communes sont aussi connues pour d'autres raisons : Babelsberg, pour ses célèbres **studios de cinéma**, qui ont été inaugurés en 1912, et qui sont toujours en activité, tout en réservant une partie à une exposition permanente très prisée des cinéphiles. Glienicke, pour son pont, qui servit longtemps de lieu d'échange d'espions entre l'Est et l'Ouest. Aujourd'hui, la frontière qui passait au milieu est à peine imaginable. De Glienicke, un joli parcours le long de la Havel mène le promeneur jusqu'à l'embarcadère pour l'**île aux Paons**, un des sites les plus romantiques des abords de la Havel. Pour ensuite rejoindre la S-Bahn (Wannsee), prendre le bus n° 216.

Le château de Babelsberg est, l'été, un point de passage obligé des bateaux-promenade

Fin de journée sur le lac de Wannsee. Statue classique dans le parc Sans-Souci (ci-contre).

Berlin Pratique

Festivals et jours fériés

• Janvier : *Grüne Woche* (foire agricole).

• Février : Festival du film - La *Berlinade*, où sont remis les fameux Ours.

• Mars : ITB (foire du tourisme).

• Avril : Foire des artistes indépendants de Berlin (FBK).

• Mai : *Theatertreffen* (festival de théâtre).

• Juin à août :
Fêtes germano-françaises et germano-américaines (fêtes foraines dans lesquelles l'accent est mis sur les cultures des anciens alliés).

Concerts et spectacles en plein air.

Love Parade (techno).

Funkausstellung (foire de l'audiovisuel).

• Septembre/octobre : *Festwochen* (festival culturel annuel).

• 3 octobre : Commémoration de la réunification allemande.

• Novembre : Festival de jazz.

• Décembre : Marchés de Noël (Weihnachtsmärkte) un peu partout dans la ville (à voir notamment celui de Spandau et celui de l'Alexanderplatz).

Pour y arriver

Maintenant que la ville n'est plus entourée d'un mur, tous les accès sont libres ! Au choix, voiture, train ou avion.

• **Voiture :**

Si vous arrivez en voiture, mieux vaut l'abandonner pour la visite du centre-ville, où les places de parking sont assez rares et les embouteillages de plus en plus fréquents. En revanche, dans les quartiers périphériques, il n'y aura aucun problème. Mais attention, l'intervention de la police est très rapide en cas de mauvais stationnement (surtout dans le centre). Au cas ou vous auriez quelques problèmes, voici quelques adresses utiles :

Fourrière : Belziger Strasse 52-58, Schoeneberg, tél. : 78 10 71.
Commissariat central : Platz der Luftbruecke 6, Tempelhof, tél. : 699 1.

• **Train :**

Plusieurs gares sont actuellement desservies (une nouvelle gare centrale est en construction). Vous descendrez ou bien à Zoo ou bien à Hauptbahnhof (Mitte), si vous voulez arriver dans le centre.

• **Avion :**

Plusieurs aéroports sont en fonction :

Tegel, au nord de Berlin, est celui où arrivent la plupart des vols européens et domestiques.

Tempelhof, au centre, est réservé aux petits appareils et aux compagnies régionales.

Schönefeld, à la périphérie sud-est, est surtout utilisé actuellement pour les gros porteurs (longs courriers).

Avec ce choix, vous pouvez arriver de presque toutes les villes (et avec presque toutes les compagnies) du monde. Les trois aéroports sont desservis par des taxis et des bus.

Les aéroports parisiens sont facilement accessibles du centre de Paris par les Cars Air France. Renseignements : tél. : 01 41 56 89 00.

Argent

En Allemagne, les cartes de crédit sont peu utilisées comme mode de paiement. Néanmoins, les grands hôtels, les grands restaurants et les grands magasins les acceptent. Par ailleurs, on peut utiliser sans problème les cartes de crédit pour retirer de l'argent dans les distributeurs et/ou guichets des banques locales, avec éventuellement des frais forfaitaires. En revanche, inutile d'apporter un chéquier français, il ne sera pas accepté comme paiement. Seuls les chèques de voyage peuvent être échangés en banque.

La parité franc/mark est autour de 3,40 F pour 1 Mark. Un Mark est divisé en cent Pfennigs.

Visa

Pour les membres de la CE et les ressortissants suisses, il suffit d'une carte d'identité en cours de validité ou d'un passeport.

Pour les autres pays, se renseigner auprès de l'ambassade d'Allemagne.

Climat

Berlin est situé à la limite des zones de climat océanique et continental. Il peut y faire relativement chaud en été (30 °C ou plus), alors qu'en hiver les lacs sont régulièrement gelés, au moins pendant quelques semaines, en janvier et février. Les saisons intermédiaires (printemps et automne) sont probablement les plus adaptées pour un séjour culturel. Peut-être choisirez-vous le moment de votre visite en fonction des nombreux festivals et foires qui rythment la vie de la cité.

Santé

Les ressortissants de l'Union européenne bénéficient de soins gratuits dans les hôpitaux publics. Se munir au préalable d'un formulaire international de Sécurité sociale.

Contacts utiles

Ambassades d'Allemagne :

France : 13-15, av. Franklin-Roosevelt, 75008 Paris. Tél. : 01 53 83 45 00.

Belgique : Av. de Tervueren, 190, 1150 Bruxelles. Tél. : 774 19 11.

Suisse : Willadin Weg 83, 3006 Berne. Tél. : 359 41 11.

Canada : 1 Waverley Street, Ottawa, Ontario K2P0T8. Tél. : 232 11 01.

Consulat d'Allemagne :
34, av. d'Iéna, 75116 Paris. Tél. : 01 42 99 78 00.

Ambassade de France en Allemagne :
Kapellenstrasse 1A, D 5300 Bonn. Tél. : 00 49 228 955 60 00.

Consulat de France à Berlin :
Kurfürstendamm 211, 1000 Berlin 15. Tél. : 88 59 02 43.

Consulat de Belgique à Berlin :
Esplanade 13, 1000 Berlin. Tél. : 203 520.

Consulat de Suisse à Berlin :
Fürst-Bismarck-Strasse 4, 1000 Berlin. Tél. : 390 40 00.

Consulat du Canada à Berlin :
Friedrichstrasse 95, 1000 Berlin. Tél. : 261 11 61.

Téléphone

Les cabines téléphoniques fonctionnent de plus en plus avec des cartes de téléphone et/ou de crédit, mais nombreuses sont encore celles à monnaie. Les cartes de téléphone s'achètent dans les bureaux de poste (il n y a pas d'équivalent aux bureaux de tabac français). La poste centrale, ouverte jour et nuit (de 6 h à 24 h), se trouve à la gare de Zoo.

Les renseignements téléphoniques internationaux sont accessibles par le 00118/ et le 01188 pour les renseignements nationaux. Pour appeler de Berlin vers une autre région d'Allemagne, faire le 0 en préfixe et pour sortir d'Allemagne, composer le 00 puis l'indicatif du pays. Pour appeler la France : 00 33 puis 9 chiffres. Pour appeler la Belgique, l'indicatif est le 32, pour le Canada, le 1, et pour la Suisse, le 41.

Urgences : Police 110.
Pompiers et ambulances : 112.
Pharmacies de garde : 01141.
Centre anti-poisons : 3023022.
Médecins de garde : 31 00 31.

Pour appeler Berlin depuis une autre région du pays, composer le 0 30, suivi des 6, 7 ou 8 chiffres.

Informations touristiques

À l'instar de la ville avec ses deux centres, il y a toujours deux accueils de tourisme (Verkehrsamt/ Informationszentrum Berlin), dont un se trouve près de Zoo (Europa-Center, à côté de l'église du Souvenir), avec des sortes de relais à la gare de Zoo et à l'aéroport de Tegel. Son pendant du côté Est se trouve sur l'Alexanderplatz. Les deux offices procurent plans de ville, prospectus et un programme mensuel des pièces de théâtres et autres spectacles locaux. On peut également y réserver sa chambre d'hôtel.

En complément, l'Informationszentrum (Hardenbergstrasse 20, proche de Zoo également) donne des informations plus générales sur la culture, la politique et l'économie.

Hôtels par prix
Hôtels et autres formes d'hébergement

Bien entendu, il y a un très grand choix dans toutes les catégories. Un guide complet des hôtels, régulièrement mis à jour, est délivré par l'Office de tourisme. Néanmoins, voici quelques coups de cœur :

• Très chic

Hôtel Adlon. Depuis sa reconstruction, c'est la première adresse, de par son histoire et son emplacement au pied de la porte de Brandebourg, Pariser Platz, Mitte.

• Chic

Hôtel Riehmers Hofgarten, Yorckstrasse 83, Kreuzberg, tél. : 78 10 11. Un monument classé, bien desservi (métro Mehringdamm), et une ambiance locale. À partir de 160 DM.

Hôtel Seehof, Lietzensee Ufer 11, Charlottenburg, tél. : 320 021 19. Plaira aux amateurs de calme. Son emplacement au bord d'un lac, dans un parc, vous fera oublier vos fatigantes promenades dans la ville. Chambres à partir de 223 DM.

Hôtel Askanischer Hof : Kurfürstendamm 53, tél. : 881 80 33.. Il est très central, avec un magnifique intérieur. Chambres à partir de 225 DM.

• Plus simples

Hotel Amadeus, Friedrichstrasse 124, Mitte, tél. : 282 93 52, ne possède pas beaucoup de confort, mais sa situation est centrale. Chambres à partir de 69 DM.

Pension Cortina, Kantstrasse 140, Charlottenburg, tél. : 313 90 59, est bien situé également (proche du Kurfürstendamm), et on y trouve un bon rapport qualité/prix. Chambres à partir de 60 DM.

Pensions Peters et Viola Nova, toutes les deux Kantstrasse 146, tél. : 312 22 78 et 313 14 57, sont dans le même quartier que le précédent et offrent les mêmes qualités. Chambres à partir de 85 DM.

• AUBERGES DE JEUNESSE

Il faut une carte internationale des auberges de jeunesse pour y accéder. L'autre inconvénient consiste dans le fait qu'il faut être rentré à minuit, dans une ville qui vit beaucoup la nuit… Voici néanmoins une adresse pour prendre contact :

Jugendgästehaus Berlin, Kluckstrasse 3, Tél. : 261 10 97, chambres à partir de 31 DM.

• CHEZ L'HABITANT

Prix variables, mais atmosphère typique garantie...

Erste Mitwohnzentrale, Sybelstrasse 53 (Charlottenburg), Tél. : 324 30 31

Mitwohnzentrale Ku'Damm Eck, Kurfürstendamm 227/228, Charlottenburg, tél : 88 30 51.

Contact en France : Tourisme chez l'habitant , 95804 Cergy-St-Christophe, Tél. : 01 34 25 44 44.

Musées

Berlin compte plus de 150 musées, des plus spécifiques aux plus grands. Nous n'indiquerons ici que les principaux. Pour tous renseignements concernant les musées :
Staatliche Museum in Berlin (musée de Pergame), Bodestrasse 1-3, tél. : 220 03 81.

• **Mitte**

Pergamonmuseum (musée de Pergame), Bodestrasse 1-3. ouvert du mardi au dimanche de 9 h à 17 h.
Altes Museum (Vieux Musée), Bodestrasse 1-3, ouvert du lundi au vendredi de 9 h à 20 h, le samedi et dimanche de 10 h à 20 h.
Hugenottenmuseum (musée des huguenots), Gendarmenmarkt, Französicher Dom. Ouvert du lundi au samedi de 12 h à 17 h, le dimanche de 13 h à 17 h.
Nikolaikirche (église Saint-Nicolas), Nikolaïkirchplatz, ouvert du mardi au dimanche de 10 h à 17 h 30.

• **Charlottenbourg**

Heimatmuseum Charlottenburg (musée de Charlottenbourg), Rathaus Charlottenbourg, Schlosstrasse 69. Ouvert le mardi de 11 h à 18 h., le dimanche de 11 h à 17 h.
Ägyptisches Museum (Musée égyptien), Schlosstrasse 70. Ouvert du mardi au dimanche de 10 h à 18 h.

• Tiergarten

Bauhaus-Archiv (musée du Bauhaus), Klingelhöferstrasse 14. Ouvert du mercredi au lundi de 10 h à 17 h.
Neue Nationalgalerie (Nouvelle Galerie nationale), Potsdamer Strasse 50. Ouvert de mardi au dimanche de 10 h à 17 h.

• Kreuzberg

Haus am Checkpoint Charlie (maison de Checkpoint-Charlie), Friedrichstrasse 44. Ouvert tous les jours de 9 h à 22 h.

Berlin et les enfants

Berlin peut être une ville pleine de découvertes pour les plus petits. Bien sûr, des activités leur sont réservées (piscines, patinoires), mais nous avons listé pour mémoire des sites intéressants pour toute la famille :

Le zoo et l'aquarium (voir plus de détails dans le chapitre Zoo).

Les balades en bateau (voir Berlin, ville d'eau).

Musée de Dahlem für Völkerkunde (Zehlendorf).

Kindergalerie im Bode-Museum.

Babelsberg (musée du cinéma, voir Potsdam et Babelsberg).

Les fermes (!), comme celle de Görlitzer Bahnhof (Wiener Strasse 59, Kreuzberg, métro du même nom), spécialement aménagée pour les enfants, ou encore celle, dans un cadre plus naturel, de Lübars (voir Les échappées vertes).

Pour les enfants passionnés par le cirque, ne pas rater In den Zelten/Tempodrom, Tiergarten (tél : 394 4045).

Les tours de la ville, en particulier la tour de la télévision (Fernsehturm – voir Mitte) et la tour de la radio (Funkturm – dans le quartier de Charlottenburg, métro Kaiserdamm).

Il ne faut surtout pas oublier les balades en forêt ou les baignades dans les lacs en été, bref, les plaisirs de la nature berlinoise, attirante en toute saison. En plus, les journaux locaux d'informations (*Tip et Zitty*) ont des pages réservées aux enfants, et qui les informent sur les activités de la quinzaine en cours.

Se promener dans Berlin

• **Métro** :

Berlin a un réseau exemplaire de plusieurs types de transports en commun, incluant bus, métro (U-Bahn), métro aérien (S-Bahn), tramway (Strassenbahn, à l'Est seulement), et même quelques lignes de bateaux (voir aussi chapitre Berlin, ville d'eau). Comme partout, le plus simple est de vous procurer un passe pour la durée de votre séjour. La Welcome Card vous fera en outre bénéficier d'un prix d'entrée réduit pour la plupart des musées et monuments.

• **Où louer un vélo à Berlin :**

Quand il ne fait pas trop froid, le vélo est un moyen de locomotion très agréable dans une ville qui lui réserve très souvent des files entières sur les routes, voire des couloirs spécifiques sur les trottoirs (il faut y faire attention en tant que piéton !). Quelques adresses de locations de vélos :

Zweirad-Bahrdt., Kantstr.88, Charlottenburg. U-Bahn Wilmersdorfer Str. ou S-Bahn Charlottenburg.

Bikes and Jeans : Albrechtstrasse 18, Mitte, U-Bahn ou S-Bahn Friedrichstrasse.

Fahrradstation : Möckernstrasse 92, Kreuzberg, U-Bahn Möckernbrücke.

Compter environ 20 DM/jour (dégressif) et une caution variable.

• **Location de voitures :**

Avis (tél. : 41 01 31 48), Hertz (tél. : 41 01 33 15), Sixt Budget (tél. : 412 47 57) et Inter-Rent (tél. : 41 01 33 68) ont leurs bureaux en ville ainsi qu'à l'aéroport de Tegel.

• **Taxis :** plutôt chers.

• Enfin, pour les trajets à l'intérieur de l'Allemagne notamment, les *Mitfahrzentralen* vous mettent en rapport avec un conducteur qui part en voiture vers votre destination et qui peut vous emmener, contre participation aux frais d'essence :
Quelques contacts: tél. : 310331 (U-Bhf Zoo).
Ku'Damm Eck tél. : 882 76 04.
Sputnik tél. : 859 10 78.

• Visites guidées de la ville

Compte tenu de l'étendue de la ville, il peut être intéressant de commencer la visite par une promenade en bus (pour les visites en bateau, voir chapitre Berlin, ville d'eau). Parmi les nombreux organismes offrant des circuits plus ou moins longs, on peut citer :
Berolina, tél : 882 41 28 , avec des départs depuis le Kurfürstendamm et depuis Unter den Linden (au coin de la Universitätstrasse)
Berliner Bären Stadtrundfahrt, tél : 213 40 77, départ Kurfürstendamm (coin de la Rankestrasse).
Severin und Kühn, tél : 883 10 15, départ Kurfürstendamm (coin de la Fasanenstrasse).
Bus Verkehr Berlin, tél : 882 68 47, Kurfürstendamm 225, et aussi Unter den Linden (coin de la Friedrichstrasse).

Shopping... des grands magasins aux puces

Que ramener de Berlin ? Il y a quelques années encore, on pouvait trouver des (vrais ou faux) morceaux du mur, ou encore des casquettes de soldats russes, mais c'est fini maintenant. Néanmoins, il y aura toujours dans cette ville des petites choses qu'on ne trouvera pas ailleurs, et on aura plus de chances d'en trouver aux puces (notamment celles de la Strasse des 17 juni (voir ci-dessous pour plus de détails), ou dans les boutiques de certains quartiers, que dans les grands magasins. Dans ces derniers, on trouve quasiment les mêmes produits que chez leurs confrères d'autres capitales européennes.

Grands magasins/Shopping centers

Avant tout, allez faire un tour au **KaDeWe**, Kaufhaus des Westens (galerie de l'Ouest, tout un concept...), un des plus grands du monde, avec notamment un rayon alimentaire très prisé, tout en haut de l'immeuble, où les bars-boutiques thématiques servent des spécialités du monde entier. Le KaDeWe ne se trouve pas loin de Zoo et de l'église du Souvenir, d'où on peut y aller à pied en descendant l'avenue Tauentzien. Par le métro, descendre directement en face, station Wittenbergplatz.

Dans le même quartier se trouve aussi le centre commercial (ensemble de boutiques) de l'**Europacenter** (en face de l'église du Souvenir, métro Zoo), moins prestigieux, mais plus généraliste.

Les Galeries Lafayette sont là depuis bien moins de temps, dans la Friedrichstrasse (Mitte) complètement reconstruite depuis la chute du mur. Le bâtiment, conçu par Jean Nouvel, attire les amis de l'architecture, mais l'intérieur offre beaucoup moins d'espace (et de choix) que le KaDeWe.

Boutiques

Plutôt que de longer le Kurfürstendamm, aventurez-vous dans les petites rues qui en partent, notamment à la hauteur de la Fasanenstrasse, et un peu plus bas, à Knesebeckstrasse et Bleibtreustrasse. En partant, vers le sud, à ce niveau du Kurfürstendamm, vous arriverez dans le quartier du Ludwigkirchplatz, agréable pour ses petits restaurants et cafés terrasses. Vers le nord du Kurfürstendamm, vous rejoindrez la Savignyplatz, qui offre encore davantage de choix avec ses boutiques de vêtements, magasins de chaussures, antiquaires art déco notamment, mais aussi ses librairies, le tout assez chic.

Fripes et Puces

On peut acheter à Berlin, parfois au kilo, des multitudes de vêtements d'occasion. Le magasin le plus grand et le plus connu est le Garage, métro Nollendorfplatz, Ahornstrasse 2, où l'on trouve tout et rien selon les jours et les arrivages. À Kreuzberg, ce genre de boutiques se trouvent notamment autour de la Bergmannstrasse. À Schöneberg, c'est la Goltzstrasse qui regroupe plusieurs magasins de ce type.

Parmi les nombreux marchés aux puces de la ville, le plus grand et le plus réputé est celui de la Strasse des 17. Juni (métro Ernst-Reuter-Platz ou S-Bahn Tiergarten), qui se tient tous les samedis et dimanches (de 10 heures à 17 heures). Y est joint un marché d'art pour les créateurs locaux. C'est un des rares endroits où l'on peut marchander, et on y trouve également de tout.

Moins prestigieux, se rapprochant plus d'un véritable marché aux puces peut-être, est le Kreuzberger Krempelmarkt, installé le week-end sur les bords du Landwehrkanal, près de la Nationalgalerie.

La vie nocturne

Peut-être plus encore que les cafés , les endroits pour sortir varient en fonction des modes, donc très rapidement. Ces dernières années, c'étaient avant tout les temples de la techno qui dominaient la scène locale, mais avec la fermeture (définitive ?) du **E-Werk,** cette ère semble également révolue. À voir notamment :

• **Bunker**, au coin de la Albrechtstr. et de la Reinhardtstrasse, son nom évoque le décor authentique.

• **Tresor/Globus**, au coin de Leipziger Str. et Wilhelmstr., qui était le premier de la série.

PLUS SOFT (PAS DE TECHNO) :

• **Abraxas**, Kantstr.134, tout petit, mais justement…

• **Fou-Na-na**, Bachstr.475, sous les arcades de la S-Bahn : rien que le site vaut le détour.

• **Metropol**, Nollendorfplatz, une grande discothèque dans un endroit historique.

• **Dschungel**, Nürnberger Str.53, fermé et rouvert tant de fois, un monument de la scène locale.

PUNK ET AUTRES VARIANTES DE KREUZBERG ET MITTE :

• **SO36**, Oranienstr. 190.

• **Bronx,** Wiener Str.34.

• **Tacheles**, Oranienburger Str.54-56, ancienne résidence de "squatters" devenue centre artistique, avec une discothèque à la cave.

• **Acut,** Veteranenstr.21, combinant discothèque et autres activités culturelles.

• **Knaack-club**, Greifswalder str. 224 (Prenzlauer Berg), deux discothèques et des salles de concert.

JAZZ :

• **Quasimodo**, Kantstr.12a, le roi des clubs de jazz.

• **Flöz**, Nassauische Str.37, petite cave agréable.

• **A-Trane**, Bleibtreustr.1, du vrai jazz soigné.

Comme pour les cafés, un endroit à succès en attire souvent d'autres dans son voisinage. De toute façon, impossible de faire le tour en une nuit ! Un conseil, néanmoins : les Berlinois sortent tard. Avant minuit, la plupart des endroits cités (à l'exception des clubs de jazz) seront déserts.

Par ailleurs, n'oubliez pas de profiter de l'abondance des théâtres, opéras, orchestres philharmoniques et spectacles de danse, qui occuperont merveilleusement la première partie de votre soirée.

Pour ceux qui ne maîtrisent pas la langue, on pourra conseiller notamment :

• **Philharmonie et Kammermusiksaal**, Matthäikirchstr.1: de l'architecture (par Scharoun) à l'acoustique, mais surtout connu pour son orchestre philharmonique, dont la renommée est mondiale : c'est un joyau de la ville. Le Kammermusiksaal est une petite salle annexe dans le même style.

• **Konzerthaus**, Gendarmenmarkt, bâtiment de Schinkel, qui abrite l'orchestre symphonique de Berlin.

En été, des concerts classiques, mais aussi de jazz, rock, voire des séances de cinéma, se tiennent à la **Waldbühne**, amphithéâtre situé en forêt, derrière l'Olympiastadion, Glockenturmstr.

Nos coups de cœur
Dix cafés et bars à découvrir

À Berlin, faites comme les Berlinois : passez une journée à faire le tour des cafés de la ville. Ils ont pris un avantage certain sur les restaurants (plus formels) ou bars à bière (Kneipen). En été, ils deviennent des cafés en terrasse, où l'on peut rester des heures à prendre le soleil, à boire, mais aussi la plupart du temps à grignoter un en-cas, ou à profiter des jeux de société et des journaux que tout café se doit de mettre à la disposition de ses clients. En hiver, quand la grisaille envahit la ville, les néons colorés, la musique et la chaleur attirent de nouveau les Berlinois dans ces mêmes endroits.

Quand on est écolier ou étudiant, on s'y rend pour faire ses devoirs, et quelques années plus tard, on vient s'y retrouver entre amis, et c'est justement ce mélange qui est attirant. À vous de découvrir, parmi la grande diversité de leurs styles, le café qui vous convient. Toutefois, bon nombre de ces établissements ont une vie brève, et il n'est pas sûr que tous ceux que nous citons seront toujours là lors de votre visite…Nous avons donc essayé de nous concentrer sur les valeurs sûres, qui ont fait leurs preuves depuis quelques années déjà :

• **Café Einstein** , U-Bahn Nollendorfplatz, au coin de la Lützow et de la Derfflingerstr.

Un bel endroit, très proche de l'atmosphère *Cafehaus* viennois, avec, en été, un beau jardin derrière. Bonne cuisine, et programme de spectacles certains soirs.

• **Café Hardenberg,** Hardenbergstrasse 10, en face de deux universités (l'université technique et celle des arts), donc très fréquenté, même pendant la journée.

• **Schwarzes Café**, Kantstr.148, le café, ouvert 24 h/24, est là depuis un bon moment déjà, et possède un joli intérieur (non loin de là, le quartier du Savignyplatz présente une forte concentration de cafés).

• **Rotes Café**, Schlüterstr., un joli décor tout en rouge (années 40) pour ce petit café toujours plein de monde.

• **Wintergarten**, Fasanenstr.23, une adresse très chic dans la Maison de la Littérature, à deux pas du Kurfürstendamm, avec une très bonne cuisine.

• **Café M,** Goltzstr.33, un autre grand classique avec une décoration qui l'est beaucoup moins.

• **Café am Ufer** (et d'autres cafés dans le coin), Paul-Lincke Ufer 44, pour profiter des belles terrasses au bord du canal.

• **Hackesche Höfe** (plusieurs cafés les uns à côté des autres), Rosenthaler Strasse, toujours animé.

• **Café Silberstein**, Oranienburger str.27, la synagogue est proche, mais l'ambiance n'est plus tout à fait juive…

• **Tantalus**, Knaackstr.24, quartier du Prenzlauer Berg, où les cafés se côtoient également.

Ce "Top Ten" est bien évidemment loin d'être exhaustif, et les cafés découverts spontanément sont parfois les meilleurs. De toute façon, un café en cache souvent un autre et vous n'aurez que l'embarras du choix.

Restaurants

Parmi la multitude de restaurants, voici nos dix "coups de cœur" dans leur catégorie (voir aussi le chapitre "Cafés", puisque la plupart des cafés offrent des plats cuisinés).

• Très chic (moins local, mais de belles adresses à connaître) :

Bamberger Reiter, Regensburger Str.7, Schöneberg, tél. : 218 42 82.

Restaurant Harlekin, Hôtel Esplanade, Lützowufer 15, Tiergarten, tél : 26 10 11), et, aussi pour son site, le restaurant de l'hôtel Adlon, Pariser Platz, Mitte.

• Typique :

Modellhut, Alte Schönhauser Strasse 38, Scheunenviertel, tél. : 238 55 11, cadre années 30, bonne cuisine allemande.

Oren, Oranienburger Strasse 28, tél. : 282 82 28, cuisine casher dans une grande salle à côté de la synagogue : cadre original et plats de qualité.

Grossbeerenkeller, Grossbeerenstrasse 90, Kreuzberg tél. : 251 30 64, ambiance et cuisine résolument locales.

Exil, Paul-Lincke Ufer 44a, beau site le long du Landwehrkanal, cuisine d'influence autrichienne.

Franzmann, Goltzstrasse 32, Schoeneberg, tél. : 216 35 14, cuisine du sud-ouest de l'Allemagne, mais public très berlinois.

Storch, Wartburgstrasse 54, tél. : 784 20 59 ; typique pour la ville également par son public, la cuisine étant, elle, plutôt autrichienne.

Pasternak, Knaackstrasse 22-24, Prenzlauer Berg, tél. : 441 33 99, cuisine russe, public intellectuel local.

Spécialités locales

En tant que grande métropole, Berlin offre toutes les cuisines du monde, mais il est plus difficile de trouver un restaurant typique, qui servirait notamment le plat local le plus connu, **Eisbein**, jarret et pied de porc fumés, habituellement accompagnés de choucroute et de purée de pois. À déguster de préférence avec une des bières locales, comme Schultheiss, Engelhardt ou Berliner Kindl. En été, on préférera la Berliner Weisse, bière blanche, qui devient rouge ou verte avec le Schuss, sorte de sirop de framboise ou d'aspérula (plante donnant un colorant vert).

Bien plus faciles à trouver, en revanche, sont les **Bouletten** et la **Currywurst**, que l'on mange debout, adossé aux nombreux *Imbissbuden*, petits kiosques ambulants que l'on trouve un peu partout en ville sur les trottoirs, et qui servent l'équivalent d'un déjeuner ou d'un en-cas, après une fatigante promenade en ville, par exemple. Mais n'oublions pas non plus la variante de Kreuzberg, d'origine turque, le **Döner Kebab**, qui est devenu un sérieux concurrent de la Currywurst, davantage encore que les pizzas.

Autres spécialités locales (mais pas forcément berlinoises) :

Kassler : sorte de petit salé de porc.

Königsberger (ou Kapern-) **Klopse** : boulettes de viande à la sauce aux câpres et à la crème.

Kartoffelsalat : salade de pommes de terre froide, avec ou sans mayonnaise.

Kartoffelpuffer : galettes de pommes de terre avec de la compote de pommes.

Il y a aussi un bon choix de poissons d'eau douce, et, en saison, de gibier, très apprécié des Allemands.

Vocabulaire usuel

POLITESSE :
Bonjour : **Guten Tag**
Au revoir : **Auf Wiedersehen**
Merci : **Danke**
S'il vous plaît : **Bitte**
Je m'appelle...: **Ich heiße**
Je ne comprends pas : **Ich verstehe nicht**
Parlez-vous anglais/français ? : **Sprechen Sie Englisch/Französisch ?**
Je ne parle pas l'allemand : **Ich spreche kein Deutsch**
Connaissez-vous quelqu'un qui parle anglais/français ?
Kennen Sie jemanden, der Englisch/Französisch spricht ?
Monsieur : **Herr**
Madame : **Frau**
Mademoiselle : **Fräulein**
(Ne se dit plus parce que considéré comme sexiste.)
Oui : **Ja**
Non : **Nein**
Non, merci : **Nein, danke**

HÔTEL
Bonjour, j'ai réservé une chambre au nom de...
Guten Tag, ich habe ein Zimmer reserviert - mein Name ist...
(Montrez une pièce d'identité).
Avez-vous une chambre double/simple ?
Haben Sie ein Doppelzimmer/Einzelzimmer ?
Combien coûte la chambre ?
Wieviel kostet eine Übernachtung ?
Est-ce que le petit déjeuner est compris ?
Ist das Frühstück inbegriffen ?

TROUVER SA ROUTE / TAXI :
Je vais à...
Ich möchte nach.../fahre nach

TRAIN / BUS :
Un billet pour...
Eine Fahrkarte nach...
Fumeur/non fumeur.
Raucher/Nicht raucher
1re classe/2e classe.
Erste Klasse/Zweite Klasse

BANQUE :
Je souhaite changer… : **Ich möchte … wechseln.**

ACHATS :
Combien ça coûte ? **Wieviel kostet das ?**
C'est trop cher pour moi ! **Das ist zu teuer für mich !**
Acceptez-vous les cartes de crédit ? **Kann ich mit Kreditkarte zahlen ?**

RESTAURANT :
Avez-vous un menu en anglais/français ?
Haben Sie eine Speisekarte in englischer/französischer Sprache ?

COURRIER :
Un timbre pour cette lettre, SVP.
Eine Briefmarke für diesen Brief, bitte.

TÉLÉPHONE :
Avez-vous des cartes téléphoniques ?
Haben Sie Telefonkarten ?
Je voudrais parler à…. SVP.
Ich möchte bitte… sprechen.

CHIFFRES

1	**eins**
2	**zwei**
3	**drei**
4	**vier**
5	**fünf**
6	**sechs**
7	**sieben**
8	**acht**
9	**neun**
10	**zehn**
11	**elf**
20	**zwanzig**
30	**dreißig**
100	**hundert**
200	**zweihundert**
1 000	**tausend**
2 000	**zweigtausend**
10 000	**zehntausend**
20 000	**zwanzigtausend**
100 000	**hunderttausend**
1 000 000	**eine Million**

Presse et médias

En ce qui concerne la presse, les deux magazines *Tip et Zitty* paraissent deux fois par semaine, à tour de rôle, et donnent une image assez complète des manifestations culturelles berlinoises. Par ailleurs, on trouve les journaux et magazines internationaux dans toutes les librairies centrales (gares, grands hôtels, points touristiques).

Librairies françaises spécialisées dans les voyages

Pour approcher différemment un pays, vous pouvez trouver des ouvrages au rayon Tourisme de votre librairie ou dans les librairies spécialisées comme :

- Astrolabe , 46, rue de Provence, 75009 Paris.
  Tél. : 01 42 85 42 95.
- Astrolabe, 14, rue Serpente, 75006 Paris.
  Tél. : 01 46 33 80 06.
- Itinéraires, 60, rue Saint-Honoré, 75001 Paris.
  Tél. : 01 42 36 12 63.
- Itinéraires, 3, rue Cassette, 75006 Paris. Tél. : 01 53 63 13 58.
- Planète (Havas), 26, avenue de l'Opéra, 75001 Paris.
  Tél. : 01 53 29 40 00.
- Voyageurs du Monde, 55, rue Sainte-Anne, 75002 Paris.
  Tél. : 01 42 86 17 38.
- Vieux Campeur, 2, rue Latran, 75005 Paris.
  Tél. : 01 43 29 12 32.
- Ulysse, 26, rue Saint-Louis-en-l'Île, 75004 Paris.
  Tél. : 01 43 25 17 35, e-mail : (ulysse@calva.net).
- Magellan, 3, rue d'Italie, 06000 Nice. Tél : 04 93 82 31 81.
- Invitation au Voyage, 132, rue Paradis, 13006 Marseille.
  Tél. : 04 91 81 60 33.
- Hémisphères, 15, rue des Croisiers, 14008 Caen.
  Tél. : 02 31 86 67 26.
- Cinq continents, 20, rue Jacques-Coeur, 34000 Montpellier.
  Tél. : 04 67 66 46 70.
- Atlantide, 56, rue Saint-Dizier, 54000 Nancy. Tél. : 03 83 37 52 36.
- Géothèque Voyage, 2, place Saint-Pierre, 44000 Nantes.
  Tél. : 02 40 47 40 68.
- Géorama, 20, rue Fossé-des-Tanneurs, 67000 Strasbourg.
  Tél. : 03 88 75 01 95.

Index

Plan du métro

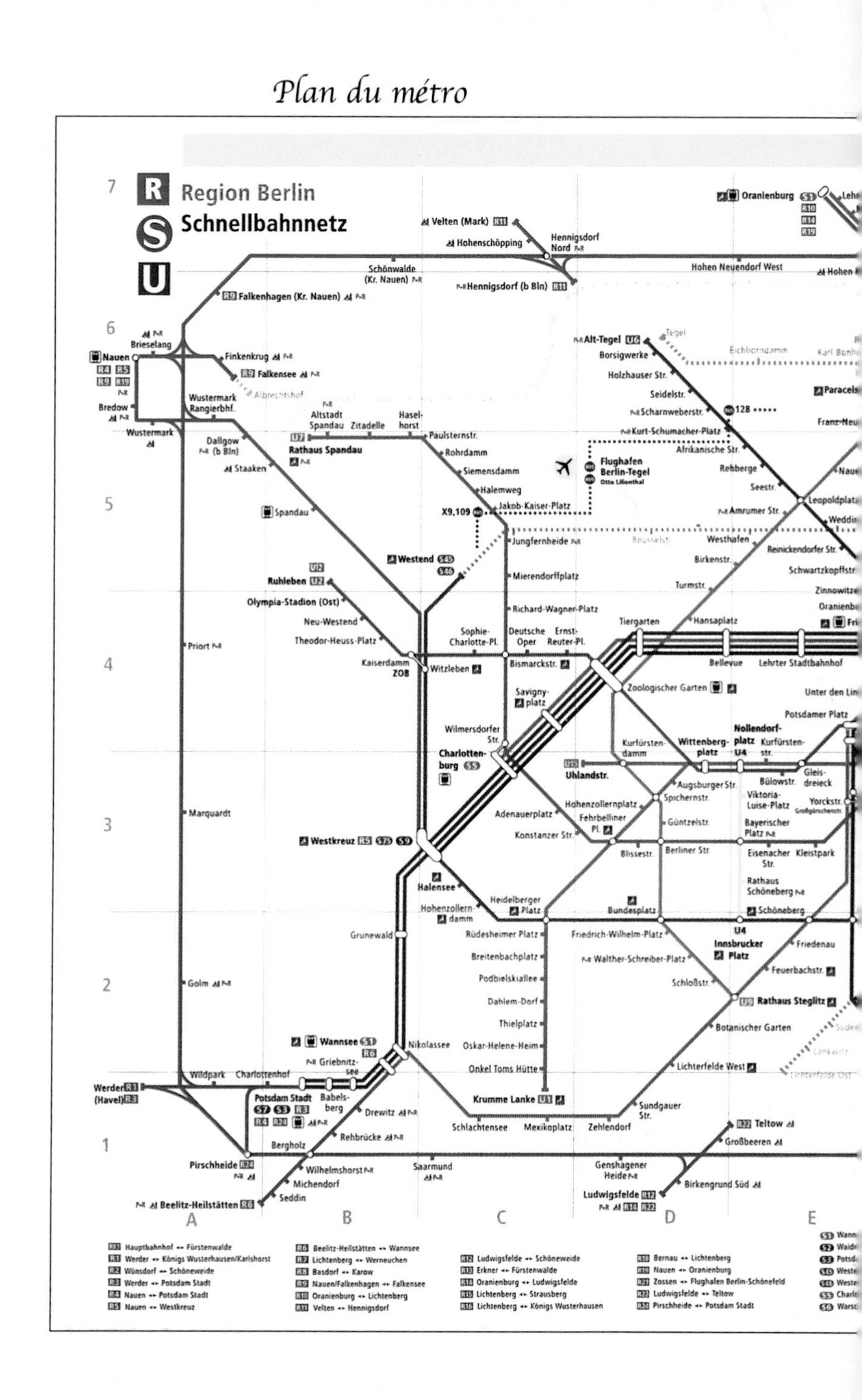